JE NAAM _____

GEKREGEN VAN _____

_____

_____

DATUM _____

Adri Burghout
Lifeliner 2 vliegt te hulp
© B.V. Uitgeverij De Banier, Utrecht - 2006
Omslag- en binnenillustraties: Adri Burghout
Vormgeving: Mariëtte Wilgehof
ISBN 90 336 2862 7
NUR 284

Adri Burghout

Lifeliner 2
vliegt te hulp

De Banier

Inhoud

1.

Ik weet je wel te vinden!

Nog voor Timo op de parkeerplaats het portier van de nieuwe Audi A3 van zijn broer Rob opendoet, hoort hij het gebonk van harde muziek.

'Zo hé!' Timo kijkt zijn broer aan.

Rob schudt zijn hoofd.

De broers stappen uit en steken de parkeerplaats over.

Timo hoort een klik en kijkt achterom. De vier oranje alarmlichten knipperen een paar keer. De deuren van de Audi springen in het slot. Mooi karretje, die A3 van m'n broer, denkt Timo.

Voor de supermarkt staat een groepje jongens en meisjes bij een paar scooters.

Als ze wat dichterbij komen, ontdekken de broers dat de muziek uit een van de scooters komt. De kunststof onderdelen van de scooter trillen kreunend mee.

'Daar is een flinke autoradio in gebouwd', zegt Rob.

'Nee, da's een MP3-speler met een paar boxen', zegt Timo. 'Ik heb die wel eens bij een broer van een vriend gezien.'

'Oh! Nou, herrie genoeg in ieder geval', bromt Rob. 'Die lui staan hier heel vaak. En ze nemen zo ongeveer de hele stoep in beslag.'

Timo ziet dat Rob een nijdige blik in zijn ogen krijgt als hij om hen heen moet lopen. Een van de jongens kijkt zijn broer uitdagend aan. Zijn ogen hebben een vreemde gloed. Die heeft vast gebruikt, denkt Timo. Een paar lui van het groepje kent hij wel een beetje. Ze wonen in de buurt.

Als ze voorbij de groep zijn, kijkt Timo zijn broer weer van opzij aan. Rob trekt alleen maar zijn wenkbrauwen op. Timo kijkt achterom. De ene jongen staat hen nog steeds na te gapen. Zijn kaken malen op een stukje kauwgom dat af en toe tussen zijn voortanden verschijnt. Dan mengt de knul zich weer in het gesprek van de anderen.

Zonder verder iets te zeggen lopen de broers de winkel binnen. Het is vlak voor sluitingstijd en niet druk meer in de Edah. Ze gaan direct door naar achter.

'Eh ... vleeswaren, kaas, melk, boter, brood', somt Rob mompelend op. Even later lopen ze weer naar voren.

In de buurt van de kassa staat Rob opeens stil. 'Wacht, dat is waar ook. De buurvrouw is morgen jarig. Ze heeft gevraagd of we 's avonds ook even komen. Voor koffie en natuurlijk taart. Ik zal meteen maar een aardigheidje voor haar meenemen.' Rob wrijft over zijn kin. 'Eens even denken ... Een bloemetje?'

'Die staan achterin', weet Timo.

Terwijl Rob op zijn horloge kijkt, lopen ze weer terug.

''t Kan nog net even voor de winkel dichtgaat. Maar eh ... dan moeten de bloemen nog wel een nacht en een dag staan. Eigenlijk niet zo'n goed idee. Ik kan beter iets anders verzinnen.'

Weer gaan ze richting de kassa. Bijna vooraan loopt Rob ineens naar een schap. 'Weet je wat, de buurvrouw is nogal een snoeper. Dat is wel aan haar omvang te zien. Een van deze mooie doosjes zal ze wel waarderen. En met die tropische temperaturen van de laatste dagen', gaat hij verder, 'kan ik een doos bonbons maar beter zolang in de koelkast leggen. Het zou vervelend zijn als ik haar morgen een litertje chocola in handen moet stoppen. Vind je ook niet?'

Timo lacht en knikt instemmend.

'Hij komt de winkel in', fluistert Timo opeens.

'Wat zeg je?'

'Hier ... kijk, tussen deze schappen door.'

Rob wil juist een doos bonbons uitkiezen. Hij moet een beetje bukken om in de richting te kijken die Timo aanwijst. 'Mmm ja, dat is die gaper, samen met een van de meiden die erbij stonden.'

Timo kan over een schouder van Rob mee gluren. De twee aan de andere kant stoppen bij de rookartikelen in de buurt van de kassa.

'Zie je dat?'

Timo en Rob zien dat de jongen snel een paar pakjes sigaretten in de binnenzak van zijn openhangend jasje laat glijden. Hij slentert met het meisje verder de winkel in.

'Aha, daar moet je met dit warme weer dus een jas voor dragen', mompelt Rob . Hij kijkt achterom. Dan staart hij het tweetal besluiteloos na. Rob pakt snel, zonder te kijken of te kiezen, een doosje van de plank. 'Kom, we gaan eerst afrekenen.'

Ze haasten zich naar een kassa.

'Ik kan nu wel iets doen, maar die twee zijn de winkel nog niet uit en dus hebben ze eigenlijk nog niets gestolen, snap je! Maar wat ze van plan zijn, lijkt me wel duidelijk. We zullen het even afwachten, Tiem.'

Timo knikt, maar vraagt zich wel af wat Rob van plan is.

Achter de kassa zit een winkelmeisje. Ze laat de boodschappen die Rob op de band heeft gelegd een voor een over een glazen plaatje glijden. Bij elk artikel klinkt een heldere piep. Als alles weer in de winkelwagen ligt, kijkt ze Rob aan. Haar staartje slingert vrolijk heen en weer als ze praat. 'Zestien euro vijfennegentig, alstublieft.'

Rob grabbelt in zijn portemonnee en kijkt vlug achterom de winkel in. Timo kijkt ook. De jongen en het meisje zijn nog niet te zien.

Na het afrekenen zet Rob zijn winkelwagen tegen de inpakplanken bij de voorruit. 'Zal ik een doos zoeken?' vraagt Timo. Hij loopt meteen naar de zijwand. Daar staan er genoeg in alle soorten en maten. Hij zoekt er een uit en kijkt opnieuw de winkel in. 'Ah, daar komen ze! Nu opletten!' Vlug loopt Timo terug naar zijn broer. De jongen die ze betrapten, heeft plaatselijk een iets te dik jasje. Terwijl Rob zijn boodschappen langzaam inpakt, houden ze allebei de kassa in het oog. Maar ze kunnen niet zien wat daar op de band wordt gelegd, want de twee staan ervoor.

'Eén euro vijfenveertig, alsjeblieft', hoort Timo het kassameisje zeggen.

Daar koop je nog geen half pakje sigaretten voor, denkt hij. Dus toch ...

Terwijl de twee Timo en Rob voorbij lopen, steekt de jongen een pakje kauwgom in zijn binnenzak.

Nog net ziet Timo de rode bovenkant van een pakje Marlboro boven de binnenzak uitsteken. Nu weet hij het zeker.

Rob moet het ook gezien hebben. Zonder iets te zeggen loopt hij naar de buitendeur. 'Ho even! Dame en heer, eerst netjes gaan betalen!'

Het tweetal kijkt Rob verbaasd aan, als ze zien dat hun de doorgang wordt versperd. Ze begrijpen meteen wat hij bedoelt.

'Waar bemoei jij je eigen mee!' klinkt het brutaal.

'Ja zèg, haalloo!' snauwt het meisje. 'Laat ons er effe door!'

Rob zegt niets, maar blijft voor de deur staan.

Het kassameisje kijkt in hun richting en heeft de situatie direct door. Ze grijpt naar een microfoon. 'Meneer Van Daalen, snel kassa, alstublieft!' klinkt het uit de speakers in het plafond.

De jongen en het meisje kijken om zich heen, maar zien zo gauw geen uitweg. Timo voelt de spanning oplopen. Het lijkt erop dat de twee zijn broer niet voorbij durven.

Daar komt Van Daalen al aanrennen. Het is een lange magere man in een witte jas.

Het kassameisje wijst naar het tweetal en Rob.

'Wat is er loos?' vraagt Van Daalen.

'Deze jongen heeft nog iets in z'n binnenzak wat hij vergeten is te betalen. En dat wil hij nu graag doen', zegt Rob.

Ondanks de spanning moet Timo toch een beetje lachen om zijn broer.

Aan het beteuterde gezicht van het tweetal is te zien dat ze echt geen kant meer op kunnen.

Van Daalen kijkt hen strak aan en zegt: 'Kom dan maar naar de kassa.'

Gedwee, maar met gezichten die niet veel goeds voorspellen,

sjokken ze naar de winkelbaas toe.

De jongen legt vier pakjes sigaretten op de band.

'Dat is het?' vraagt Van Daalen.

De jongen bromt iets, pakt het pakje kauwgom, trekt een dom gezicht en laat zijn lege binnenzak zien.

'Die kauwgom is al betaald', zegt het kassameisje dat achter Van Daalen staat.

'Oké, dat is dan zestien euro.' Terwijl de jongen zijn portemonnee tevoorschijn haalt, gaat Van Daalen verder: 'We zullen het deze keer hierbij laten omdat je zonder problemen betaalt, maar dit is wel de laatste keer. De volgende keer haal ik de politie erbij. Dat zul je wel begrijpen!'

Zonder een woord te zeggen lopen de jongen en het meisje naar de uitgang.

Rob staat nog steeds bij de deur. Timo heeft het doosje met boodschappen onder de arm en staat schuin achter hem. Rob opent de deur voor de twee, die net doen of ze hem niet zien. Hij steekt zijn duim op naar Van Daalen en loopt achter de twee naar buiten.

Timo kijkt achterom en ziet dat Van Daalen nog wat wil zeggen. Maar zijn broer is al naar buiten en roept hem.

Rob en Timo lopen vlak achter het tweetal.

'Zo is het beter, jongen. Moet je maar niet meer doen!' zegt Rob als ze de knaap voorbij lopen. Hij steekt opnieuw zijn duim op.

'Ik weet je wel te vinden!' klinkt het dreigend achter hen.

Timo ziet het gezicht van zijn broer betrekken. Maar Rob weet zich te beheersen en doet net of hij niets heeft gehoord.

Er volgen nog enkele verwensingen die op z'n zachtst gezegd

niet erg vriendelijk klinken.

'Nou nou', mompelt Rob, 'als me dat allemaal moet overkomen, ziet het er slecht uit voor me.'

Ze stappen in de Audi en rijden de parkeerplaats af.

'Stumpers eigenlijk', zegt Rob.

Tien minuten later houdt de wagen stil op het woonerf waar Rob woont. De jongens gaan naar binnen.

Timo kijkt rond in de gezellige kamer. 'Gaaf hier', zegt hij.

'Ja, joh,' zegt Rob, 'ik ben nog steeds blij dat ik dit huis vijf jaar geleden heb gekocht. Bij opa en oma in huis was het ook altijd gezellig. Maar ja, Judith is inmiddels getrouwd. En hoe lang zal Esther nog bij opa en oma in huis blijven?'

Hoe zou het gegaan zijn als papa en mama niet bij dat verkeersongeval om het leven waren gekomen? denkt Timo. Ik was toen nog maar één jaar. Rob, de oudste, dertien. Zou Rob dan ook een huis hebben gekocht? Jammer dat hij niet getrouwd is. Hij glimlacht. Hoe zegt Rob dat ook altijd? ''k Heb een goeie baan, een leuke auto en kon een mooi kooitje kopen. Misschien komt er nog eens een vogeltje langs vliegen!' Rob kan iets soms zo leuk zeggen.

In de keuken legt Rob de vleeswaren en de kaas in de koelkast. Ook het mooie doosje wil hij erin leggen.

'Wacht, ik zal het alvast inpakken. Timo, ik wilde eigenlijk de auto nog wassen. Jij mag wel vast beginnen. Ik kom er ook zo aan.'

Dat hoeft hij geen twee keer te zeggen. Zeker niet nu Rob pas een nieuwe auto heeft.

'Je weet alles wel te vinden, hè?'

'Geen probleem', zegt Timo.

Uit het kastje onder de gootsteen pakt hij een spons en zeem. Hij zet een emmer onder de kraan bij de achterdeur. O ja, Rob heeft hier ook autoshampoo, die moet eerst in de emmer. Dan gaat het lekker schuimen.

Rob gaat naar de kamer. Even later is hij terug met een rol gekleurd papier. Hij knipt er een stuk af en legt de doos erop.

De telefoon gaat.

Rob loopt weer naar de kamer en neemt op. 'Rob Zandstra.' Even is het stil. 'Ha, die Cees. Hoe is het? Leuk dat je belt. Ja, ik ben net thuis. Wat zeg je?'

Nou, dat zal wel weer een lang gesprek worden, denkt Timo. Hij kent Cees de Jong wel.

Rob komt weer in de keuken en klemt de draadloze telefoon tussen zijn oor en schouder. Ondertussen neemt hij de plakbandhouder van een plank en gaat verder met inpakken. Druk in gesprek legt hij het cadeautje in de koelkast.

Het is lekker rustig op het woonerf. De temperatuur is nog hoog. Echt een zoele avond. Timo loopt naar achter om de tuinslang te halen. Met een forse straal water spuit hij even later het sop van de auto.

''t Heeft iets langer geduurd dan ik van plan was', zegt Rob. 'Ik kreeg nog even een telefoontje, hoorde je misschien wel. Ik zal gauw helpen met afzemen.'

Juist als Rob de zeem uit de emmer pakt, rijdt een scooter over de Parklaan, waaraan het woonerf grenst. Timo ziet hem in een flits, maar meent toch de scooter met de MP3 te herkennen.

Rob kijkt achterom en ziet hem ook. Het is een zwarte met een dubbele felgeel gekleurde streep op de kuip. Nog geen minuut later komt hij weer voorbij, maar nu in tegengestelde richting. Ook nu rijdt hij niet hard.

Timo en Rob kijken de scooter na en zien twee hoofden in hun richting kijken.

Ik weet je wel te vinden, klinkt het in Timo's hoofd.

'Zag je ze?' vraagt Rob en hij schudt zijn hoofd. 'Ze denken me zeker op de kast te kunnen krijgen.'

Na de wasbeurt van de auto neemt Rob zelf ook een verfrissende douche. Een poosje later zitten ze samen heerlijk in een luie stoel in de achtertuin.

'Nog twee dagen en dan ben ik weer vrij. Dan zullen we de ramen, deuren en kozijnen eens onder handen nemen', zegt Rob.

Rob had Timo enkele weken geleden gevraagd om hem in de vakantie met het verven van de buitenboel te helpen. En vorige week kwam Rob opeens met het voorstel om twee dagen met hem mee te gaan naar zijn werk bij Lifeliner 2. 'Als je me tenminste nog steeds wilt helpen', had hij gezegd. Timo was meteen enthousiast. Hij is graag bij zijn broer, dus dat klussen doet hij met alle plezier. Zeker met wat er tegenover staat.

Morgen en overmorgen gaat hij met Rob mee naar Rotterdam Airport, oftewel vliegveld Zestienhoven. Echt tof dat Rob helikopterpiloot is bij traumateam Lifeliner 2, denkt Timo. Rob moet voor zijn werk altijd vroeg uit bed. Daarom is het gemakkelijker dat hij een paar nachten bij hem logeert. Nu is het zover. Morgen, ha, hij heeft er echt zin in. Hij heeft er zijn broer al veel over horen vertellen. De kans is natuurlijk groot dat Rob wordt opgeroepen om te vliegen, samen met een verpleegkundige en een arts. Hij zal dan op het station moeten wachten.

Maar dat geeft niet, denkt hij. Hij zal heel de start vanuit het kantoor van het station kunnen volgen. Hij is vast van plan ook helikopterpiloot te worden. Als het even kan ook bij Lifeliner 2. Maar hij heeft er nog met niemand over gepraat. Toen hij vorig jaar met Rob en Daan, de man van Judith, naar de open dag van de luchtmacht is geweest, heeft hij folders meegenomen. Daarin stond welke opleidingen er zijn voor helikopterpiloot.

'Als ik vrij ben, beginnen we eerst maar aan de achterkant', gaat Rob verder. 'Die zit het slechtst in de verf.'

Timo hoort het maar half. Hij droomt al over morgen. Bovendien is het warme weer best vermoeiend. Timo merkt dat zijn oogleden zwaar worden. Hij heeft geen zin om zichzelf langer groot te houden. Tenslotte moet hij morgen vroeg op.

'Heb je slaap, Tiem? Je oogjes worden klein', hoort hij zijn broer zeggen.

'Huh? Eh ja, ik denk dat ik maar naar bed ga.'

'Goed idee, ik ga ook zo. Het is zo morgenochtend kwart over vijf. Je bed staat al helemaal klaar.'

'Nou, welterusten dan', zegt Timo.

De volgende morgen staat Timo om kwart over vijf naast zijn bed. Hij rekt zich uit en haalt geeuwend zijn vingers door zijn haar, dat wild overeind staat.

Het is de tweede dag van de serie van drie die zijn broer altijd achter elkaar werkt. Als piloot mag je met werkdagen van dertien uur niet meer dagen achter elkaar werken. Eigenlijk best plezierig, denkt Timo. Want daarna heb je zeven vrije dagen.

Als hij naar de badkamer is geweest en zich heeft aangekleed, loopt hij naar beneden. Rob is ook al op. 'De weerberichten van gisteren voorspelden opnieuw een zonnige dag', zegt hij. 'Ik ben benieuwd of dat klopt. Gisteravond betrok de lucht een beetje. Even de gordijnen opendoen.'

Al snel blijkt dat de weerprofeten gelijk hadden. De lucht is weer strakblauw.

Rob draait zich om, maar keert dan terug naar het raam. Timo ziet hem opnieuw tussen de vitrage door naar buiten gluren.

'Ik heb best een sportieve auto,' klinkt het bij het raam, 'maar zo erg verlaagd is hij nu ook weer niet.'

Timo loopt naar zijn broer. Hij ziet meteen wat er aan de hand is. Allebei de banden van de kant waar hij tegenaan kijkt, staan leeg.

'Tsjonge! Eén lekke band is niet leuk, maar twee, dat lijkt me sterk', mompelt Rob.

Ze lopen vlug naar buiten. Dan doen ze aan de andere kant van zijn auto nog een vervelende ontdekking.

'Wat heb ik nou aan m'n fiets hangen! Staan alle vier leeg', hoort Timo zijn broer zeggen.

'Dat wilde ik je juist komen vertellen', klinkt het achter hen. Het is de overbuurman. 'Maar je hebt het zelf ook al in de gaten, zie ik wel. Trouwens, over gaten gesproken, heb je ook

17

al gezien dat het sneejen zijn? Volgens mij hebben ze je banden met een mes bewerkt.'

Rob kijkt de man een beetje sip aan. 'Ook goeiemorgen. Nou ja, wat je goed noemt.'

'Ik wou je net komen waarschuwen', gaat de buurman verder. 'Ik ben met deze tropische temperaturen maar vroeg uit de veren gekropen en in m'n tuintje begonnen, want overdag is het me te warm, en bovendien is Truida vandaag jarig. Maar dat wist je trouwens al. Vierenvijftig alweer, waar blijft de tijd. Enne toen zag ik die platte banden van je auto.'

De buurman is een aardige man, maar als hij aan de praat raakt, is het net een aflopende wekker.

Rob onderbreekt hem. 'Gefeliciteerd! Wat ik je vragen wou, heb je soms nog iets gezien gisteravond of vannacht hier op het woonerf?'

'Nee, vanzelf niet, dan lig ik op één oor. De nacht is voor boeven en ongedierte.'

'Ja, daar ben ik ook achter', bromt Rob. 'Alleen heb ik nu een dringend probleem. We moeten om half zeven op Zestienhoven zijn.'

'Ja, dat is ook wat.' De buurman krabt achter zijn oor. 'Dus jij mag een dagje met je broer mee?' vraagt hij aan Timo.

Opeens lijkt de buurman een idee te krijgen. 'Weet je wat, als jullie nou eens mijn auto nemen. Ik hoef op deze heuglijke dag toch niet weg. En dan zijn jullie uit de brand. Nou, wat vind je ervan?'

'Dat zou prachtig zijn', antwoordt Rob. 'Wacht, dan haal ik onze spullen.'

Hij kijkt op zijn horloge. 'We mogen wel opschieten. Anders komen we nog in de file.'

Even later is hij terug met zijn werktas en het kleurig inge-pakte doosje uit de koelkast. Als de buurman hem de sleutels van zijn auto overhandigt, geeft Rob hem in ruil daarvoor het pakje. 'Hier, pak aan, alvast voor Truida. Zeg maar dat ze het nu, na jouw spontane aanbod, niet meer alleen mag opsnoe-pen. Samen delen', zegt Rob.

De buurman grijnst. 'Tot vanavond. Enne ... doe 't maar rustig aan met dit warme weer.'

Rob stapt in de Corsa en start. Timo gaat naast hem zitten. Het autootje is al vijftien jaar oud. Gelukkig loopt het nog als een tierelier. Maar het kan niet tippen aan een A3, denkt Timo.

2.

Het Lifeliner 2-station

'Zo, jij gaat er ook niet op vooruit! Je werkt zeker ook bij Lifeliner 2', plaagt een vrouwenstem achter Timo en Rob.

Rob heeft zojuist de Corsa op slot gedaan en draait zich om.

'Hé, Petra! Je bent weer erg wakker vanmorgen, is het niet? Maar eh ... ik zal je vertellen waarom we met dit barrel zijn. Hoewel barrel? 't Ouwe beestje loopt nog best, hoor. Je zult het geloven of niet. Ze hebben vannacht alle vier de banden van m'n auto lek gestoken. Ik, of eigenlijk moet ik zeggen, we ...' – Rob wijst naar Timo – hebben wel een vermoeden wie dat geflikt heeft. Maar ja, niemand heeft iets gezien. Er hing geen briefje bij. Gelukkig heb ik een jofele buurman. Die wilde z'n limousine wel voor een dag aan ons lenen. Vandaar.'

'Wat een smerige streek, zeg!' zegt Petra. 'Dus jij bent de broer van Rob? Nou, hij heeft al van alles over je verteld.' Ze trekt een bedenkelijk gezicht. Dan knipoogt ze stiekem naar Rob.

Timo heeft het wel gezien en grijnst maar eens.

'Petra Rottiné is de arts die de bemanning van de Lifeliner 2-helikopter vandaag zal aanvullen', zegt Rob tegen Timo.

De jongens en Petra lopen naar het metaalgrijze gebouw waarin alles van Lifeliner 2 aanwezig is: kantoor-meldkamer, kleedkamer, slaapgelegenheid, magazijn, kantine, hangaar.

Petra drukt op de bel naast de ingang. Er komt meteen iemand aan. 'Goeie morgen! Ik dacht: die komen niet meer. 't Valt ook niet mee, hè, zo vroeg!'

'Ja, jij hebt mooi praten', zegt Petra. 'Jij valt uit je bed en je bent meteen op je werk.'

Frans kijkt hen met pretoogjes aan.

'Dit is Frans van 't Hof. Hij woont in Amersfoort. Als hij dienst heeft, blijft hij meestal op het station slapen', vertelt Rob aan Timo. 'Er zijn hier maar liefst vier slaapruimtes met douche en toilet. Frans is de verpleegkundige. Hij heeft vandaag dagdienst. We zijn dus compleet.'

Frans kijkt Timo lachend aan. 'Ah, nieuw personeel, zie ik wel!'

'Eh ja ... nou, nee, nog niet. Eh, was dat maar waar', zegt Timo.

Er komt nog iemand binnen. Hij loopt naar Timo toe en stelt zich voor. 'Ik ben Thomas. En jij bent Timo? Vandaag ben ik dus jouw oppas. Nou, als ik jou bekijk, zullen we geen ruzie krijgen. O ja, ik ben hier de base-manager.'

Timo krijgt een kleur. Leuke vent, denkt hij. Maar wat is een base-manager?

'Deze meneer houdt hier op het station alles in de gaten', vertelt Rob. 'Je zult er wel achter komen hoe druk de arme man het heeft', laat hij er lachend op volgen.

'Bar druk', beaamt Thomas, waarop iedereen moet lachen.

Rob en Petra kleden zich eerst om. In de kleedkamer met kleedhokjes hangt hun roodgele vliegerkleding. Frans heeft zijn tenue al aan. Hij gaat verder met het controleren van allerlei zaken in en om de helikopter die nog binnen staat.

Rob neemt zijn helm en die van Petra mee naar de heli en begint eveneens met het controleren van het toestel. Timo loopt met hem mee.

'Dit doen we elke morgen. Ieder heeft zo zijn eigen taken', vertelt Rob. 'Petra zuigt een paar setjes narcosevloeistof op. Na alle controles lezen Frans en ik de NOTAMS die per fax zijn binnengekomen. Zul je zo wel zien.'

'Wat zijn NOTAMS?' vraagt Timo.

'Daar staan allerlei gegevens in over wat er deze dag aan luchtvaartevenementen binnen ons inzetgebied te doen is, bijvoorbeeld parachutespringen. Da's wel handig, want als we moeten vliegen, worden we niet verrast door bijvoorbeeld plotseling een parachutist tegen onze voorruit.'

Timo ziet het al voor zich.

In het kantoor hangt een grote landkaart aan de wand. Even later ziet Timo dat Frans op die kaart alle plaatsen die op de NOTAMS zijn vermeld, met magneetdoppen aangeeft.

'Zo, dan gaan we nu eerst de heli naar buiten trekken. De helikopter heeft geen wielen', legt Frans aan Timo uit. 'Alleen twee stalen sleeën waar hij op rust.' 'Dat weet ik', zegt Timo.

'Oh, dus je bent al helemaal op de hoogte!'

'Nou nee, maar dat heb ik op foto's van Rob gezien.'

'Oké, zoals je ziet, staat de heli op een platform met wieltjes eronder. Iedere morgen wordt hij met dat elektrische karretje naar buiten getrokken.' Frans wijst naar een klein trekkertje.

Rob komt aanlopen en springt op het trekkertje. Frans doet de twee grote roldeuren van de hangaar omhoog. Petra en Frans kijken nu ieder aan een kant van de heli of de brede wieken niets raken, terwijl Rob voorzichtig met het vastgekoppelde platform naar buiten rijdt.

'Zo is er een heleboel te doen, voordat de helikopter HEMS-

Hot is' zegt Frans 'Dat betekent dat het toestel helemaal klaar staat om zo de lucht in te kunnen.'

Frans, Petra en Rob gaan naar binnen. Frans meldt alle centrale ambulancemeldposten – kortgezegd CPA's – in de regio Zuidwest-Nederland dat ze klaar zijn voor het geval dat het nodig is. Timo hoort in korte tijd een heleboel termen waarvan hij nog nooit gehoord heeft. Maar Frans legt hem alles uit.

'Tijd voor warme broodjes en koffie', roept Petra vanuit de kantine.

Timo en Rob zijn er aan toe, want ze hebben door dat gedoe met de autobanden thuis niet ontbeten. In de kantine worden de broodjes warm gemaakt. Als ze aan tafel gaan zitten, houden Petra en Frans stil.

Timo ziet dat Rob zijn handen vouwt. Hij volgt vlug zijn voorbeeld. Frans en Petra bidden niet, maar ze zijn blijkbaar wel gewend dat Rob dit doet.

'Eet smakelijk', klinkt het dan.

Tijdens het eten vertelt Rob uitgebreid wat hun die morgen is overkomen.

'Je zou ze toch helemaal ... Nou ja, laat ik maar netjes blijven', begint Frans. 'Wat moeten we met dat schorem aan? Ze staan werkelijk nergens voor.'

'Ik denk dat we het ermee zullen moeten doen' vult Petra aan.

Na de pauze vullen ze allerlei papieren in en kijken nog wat zaken na.

Timo voelt zich al aardig op zijn gemak op het station. Hij neust wat rond. Er is altijd genoeg te doen op het station. Zelfs de vliegkleding wordt door de mensen hier gewassen en gedroogd, ziet hij.

Hij vraagt aan Frans hoe ze nu eigenlijk gealarmeerd worden. 'Ik heb van m'n broer gehoord dat jullie sinds kort een ander systeem hebben.'

'Klopt', zegt Frans. 'We hebben nu alleen nog maar een pager. Kijk, hier heb je hem.' Hij haalt een apparaatje uit zijn broek-zak, iets kleiner dan een mobieltje. 'Als er iets aan de hand is, laat hij een paar piepjes horen. Dan weten we dat we worden opgeroepen.' Hij wijst op een schermpje op het toestel. 'Op de display kunnen we lezen waar we naar toe moeten. Je zult het straks waarschijnlijk wel een keer horen.'

'Kom, we gaan naar de heli kijken', zegt Rob tegen zijn broer. Timo gaat met hem mee.

Rob pakt zijn shirt ter hoogte van zijn borst beet en houdt het voor de deur. De deur gaat open. Timo kijkt hem verwonderd aan. Dit heeft hij zijn broer vanmorgen al meer zien doen.

'Waar doe je dat eigenlijk voor?'

'Oh, ik heb mijn tag, dat is een soort pasje, aan een key-cord onder mijn shirt hangen. Daarmee springt de deur van het slot. Alles is hier beveiligd. Jij mag hier eigenlijk ook niet alleen zijn. Maar Thomas is er. Als we worden opgeroepen, dan blijf jij bij hem. Snappie?'

Timo knikt. Ze lopen naar buiten. Bij de heli opent Rob de linker schuifdeur.

Timo kijkt zijn ogen uit. Hij heeft al veel foto's van het toestel gezien, maar nu hij er echt bij staat, lijkt het allemaal toch heel anders. 'Hij is kleiner dan ik had gedacht.'

'Vind je? Kan zijn, maar toch zit er alles in wat we nodig hebben.' Rob vertelt het een en ander over de medische appa-ratuur die erin staat en hangt.

Timo luistert met gespitste oren en geeft ook zijn ogen goed de kost.

Dan opent Rob de linker voordeur. 'Zo, ga er maar in zitten.'

Timo klimt snel op de stoel van de verpleegkundige. Rob loopt om de helikopter heen en gaat op zijn eigen stoel zitten.

'Nou, daar zitten we dan. Hopelijk krijgen we nog even geen alarm. Dan kan ik nog wat vertellen over de besturing en zo. Wacht, ik zal buiten een stroomkabel aansluiten, dan kan ik de systemen aanzetten zonder dat de accu's leeg raken. Want die moeten zo vol mogelijk blijven, zul je wel begrijpen.' Rob stapt uit en doet naast het platform een luik in het asfalt open. Hij haalt er een kabel uit, die hij op de heli aansluit en loopt naar de hangaar om een schakelaar om te zetten. Even later zit hij weer op zijn stoel.

'Ziezo, dat is gebeurd. Nu moet je eens opletten!' Rob drukt op een schakelaar. Opeens hoort Timo iets zoemen. Allerlei lichtjes en schermpjes springen aan.

Dan begint Rob te vertellen over navigatie, de motoren en besturing.

'Kijk, dit is het voetenstuur. Daarmee gaan we links of rechts. Als ik rechts intrap, draait de heli naar rechts. Als ik links intrap, naar links. Hier links naast m'n stoel zit een handel. Als ik die iets optrek, verandert de stand van elk rotorblad en gaan we omhoog. We noemen dat de bedieningshefboom collectieve spoed, oftewel de 'collective'. En dit hier recht voor me is de cyclische spoedhandgreep. Wat een woorden, hè? Dat ding heet kortweg de 'cyclic'. Daarmee kan ik alle vier de rotorbladen als draaiende schijf in z'n geheel verstellen. Naar voor, naar achter, naar links of rechts. Op die manier kunnen we vooruit, opzij of zelfs achteruit vliegen. Had je niet gedacht, hè?'

Timo vindt het geweldig. Hij bekijkt alles nauwkeurig. Tussen Rob en hem zit aan de voorkant een groot dashboard. Recht voor hem is een gebogen voorruit die vanaf zijn voeten tot boven zijn hoofd reikt.

'Je kunt overal goed heen kijken met al dat glas', zegt hij.

'Zullen we maar weer eens naar binnen gaan?' zegt Rob als hij klaar is met uitleggen? Ik heb wel weer zin in een bakje koffie. Jij niet?'

Het is al weer half elf. Er is nog steeds geen oproep geweest. Rob schakelt de stroom uit en bergt de kabel op. Ze lopen naar het kantoor.

Petra, Frans en Thomas zitten alledrie achter een computer te werken.

'Zal ik maar eens een bakkie voor jullie halen, stelletje zwoegers?' vraagt Rob en geeft Timo een knipoog.

'Nou, dat werd wel eens tijd, dacht ik zo!' klinkt het aan de andere kant van het vertrek waar Frans met zijn rug naar de rest zit. Hij draait zich om. 'Doe mij maar eens een lekkere cappuccino, Robbie.'

'En wat wenst de dame?' vraagt Rob.

Plotseling klinken er een paar piepjes. Frans, Petra en Rob grijpen alledrie naar hun pager. Snel lezen ze het berichtje dat op het schermpje is verschenen en ze schieten overeind. Rob smijt haastig het dienblad dat hij in zijn hand heeft, op een bureau en stuift zonder verder iets te zeggen naar buiten.

'Nu gaat het beginnen!' flitst het door Timo heen. Hij loopt snel naar een van de ramen van het kantoor. Hij ziet zijn broer naar de heli rennen.

Achter hem is Frans met een landkaart bezig. Petra heeft een telefoon in haar hand.

Timo hoort dat Rob de heli al heeft gestart. Langzaam beginnen de rotorbladen te draaien. Het toerental van de motoren loopt op.

In de helikopter is Rob druk bezig om alles te controleren.

Kort erna rent ook Frans naar de heli. Hij springt in het toestel en neemt links naast Rob plaats. Hij heeft een kaart bij zich waarop de koers is uitgezet. Petra komt als laatste binnen. Ze heeft nog gauw de CPA nog gebeld voor meer bijzonderheden over het ongeval.

Nog geen drie minuten nadat de pager is afgegaan, trekt Rob aan de knuppel links van zijn stoel. De helikopter komt los van het platform op wieltjes. Tegelijkertijd drukt hij het linker voetenstuur iets in om de heli netjes recht omhoog te laten gaan.

De heli stijgt eerst een paar meter recht omhoog en schuift vervolgens honderd meter naar rechts bij het station vandaan. Rob kijkt naar het Lifeliner 2-gebouw. Daar ziet hij Timo achter een van de ramen staan.

Rob meldt zich via de radio aan de verkeerstoren van het vliegveld. Meteen hoort hij de stem van een verkeersleider in zijn in de helm ingebouwde hoofdtelefoon. Hij krijgt toestemming om te vertrekken. De heli stijgt verder. Rob trekt de knuppel recht voor hem iets naar zich toe. Het toestel beweegt naar voren. Intussen blijven ze klimmen. Met een bocht koerst het team naar het zuiden richting Zeeland. Al spoedig bedraagt de snelheid ongeveer 210 kilometer per uur.

Petra zoekt in een stratenboek naar de precieze plaats van het ongeluk. Ze vliegen recht over Schiedam, het havengebied en vervolgens over de woonplaats van Rob. Hij kijkt even naar beneden, maar richt dan zijn aandacht weer op de route.

3.

Amirs grootste wens

'Hé, Amir, wat heb ik gehoord? Heb je die gast van gisteren flink te grazen genomen?' vraagt Melissa. Ze staat met een aantal jongeren voor de Edah.

Amir laat een stukje kauwgom tussen zijn voortanden verschijnen. Maar dan draait hij zich om en praat met een paar jongens. Hij wil er blijkbaar niets over kwijt.

Melissa maakt achter zijn rug een gebaar met een van haar vingers.

Naast Amir staat Johnny. Hij heeft wel gezien wat Melissa deed. Hij zegt er maar niets over. Dan krijg je weer heibel. Daar heeft hij op dit moment helemaal geen zin in.

Johnny is met zijn veertien jaar de jongste van het groepje. Toch wordt hij door de rest wel geaccepteerd, vooral door Amir, die bijna achttien is. Hij heeft samen met Amir al enkele klusjes opgeknapt. Die goed zijn afgelopen en niet zoals gisteren met die stomme meid in de winkel.

Amir gaf haar de schuld dat hij betrapt was. Zij had de aandacht getrokken van die gast met die Audi. Of dat waar is, weet Johnny niet. Het maakt hem ook niet uit. Hij kijkt tegen Amir op en weet dat die hem wel mag. En daar is hij stiekem trots op.

Op dat moment klinkt het geluid van een helikopter. Johnny kijkt omhoog. Hoog boven hen vliegt een geel toestel met een flinke snelheid naar het zuiden.

Ook Amir kijkt op, maar dan komt er een auto langsrijden, die meer aandacht trekt. Het is een donkerblauwe BMW 3 cabrio. Rustig rijdt de auto voorbij. De zescilinder ronkt zacht onder de motorkap. Maar Johnny weet dat dit geluid verandert in het gebrul van een wild dier, als je het gaspedaal flink intrapt.

'Onwijs gaaf!' Amirs ogen vernauwen zich tot spleetjes.

Johnny ziet het wel. Hij kent de auto en de bestuurder. Het is ook een Marokkaanse jongen, net als Amir. Hoe heet hij ook al weer? Johnny kan er even niet op komen. Doet er ook eigenlijk niet toe. Het is in ieder geval de oudste broer van Yasseen, een andere vriend van hem die even oud is als hij. Johnny kijkt om zich heen, maar Yasseen is er niet bij vandaag.

Toen zijn broer de auto had gekocht, heeft hij vol trots het voertuig aan Johnny en Amir geshowd. Amir was diep onder de indruk. Het karretje is met z'n twaalf jaar niet zo piep meer, maar ziet er nog puntgaaf uit. Yasseens broer heeft er nog een fors bedrag voor moeten neertellen: 9000 euro ...pff! Maar goed, hij werkt al een aantal jaren en heeft er hard voor gespaard, volgens Yasseen. 'De auto is de enige hobby van m'n broer', had hij gezegd. 'Hij geeft verder nergens geld aan uit. Hij rookt niet, hij drinkt niet en gaat bijna nooit stappen.'

Amir was ook geschrokken van het bedrag. Hij wordt binnenkort achttien en wil op z'n minst ook zo'n auto, heeft hij al gezegd.

'Wat doet die broer van Yasseen ook al weer voor werk?' vraagt Amir aan Johnny.

Hij moet diep nadenken. 'Eh ... achter de kassa bij pompstation De Tramdijk.'

Amirs ogen draaien in de richting van de verdwijnende BMW. Ze krijgen een vreemde gloed. Hij lijkt heel ergens anders te zijn met zijn gedachten.

'Hé, Amie, je staat daar bijna te kwijlen, man. Mooi karretje, hè?'

'Zou je zeker ook wel willen hebben?' roept een ander.

Johnny kijkt Amir van opzij aan.

'Ik zal jullie eens wat zeggen', reageert Amir fel. 'Binnenkort zien jullie mij ook in zo'n auto voorbijrijden. En een nog veel jongere ook!'

De jongens grijnzen maar wat. Er zijn er niet veel die het lef hebben om hem tegen te spreken.

Hoe wil hij dat voor elkaar krijgen? vraagt Johnny zich af. Hij zegt het niet hardop. Trouwens, Amir heeft al veel meer voor elkaar gekregen, dus waar maakt hij zich sappel om.

De meiden mengen zich ook in het gesprek.

'En dan mag ik vanzelf wel in de gaafste sportwagen van Spijkenisse meerijden', slijmt Melissa.

'Hé zeg, maar er kunnen er meer in, hoor!' roept een ander meisje.

Amir reageert er niet op, behalve dat hij zijn lippen laat krullen. Opnieuw verschijnt er een wit propje tussen zijn voortanden.

Het gesprek gaat over op een ander onderwerp, maar Amir is er niet zo erg meer bij met zijn gedachten. Een poosje later stoot hij Johnny tegen zijn arm. 'Zeg, Johnny, ik moet jou vanavond spreken, onder vier ogen, weet je.'

Johnny kijkt Amir vragend aan. Hij wil eigenlijk wel meer weten, maar hij ziet aan Amirs houding dat hij hier verder niets te horen zal krijgen.

Ook de anderen vragen nergens naar. Maar Johnny ziet ze denken: wat zou die Amir nu weer in z'n hoofd hebben?

32

'Zie je vanavond, je weet wel waar.' Amir draait zich om, stapt op zijn scooter en start. Meteen klinkt er dreunende rap-muziek. Met hoge snelheid scheurt hij weg.

'Wauw!' roept een van de meiden.

Frans tuurt ingespannen door de gebolde voorruit van de helikopter. Ze zijn al over enkele Zuid-Hollandse en Zeeuwse eilanden gevlogen. Opnieuw bevinden ze zich boven water. Het is de Oosterschelde. Een eindje voor hen zien ze Goes. Voorbij Goes tekent zich in het groene landschap een lichte streep af, de A58.

Frans buigt iets naar voren. 'Volgens mij zie ik daar al iets.' Hij wijst recht vooruit.

'Ja, je hebt gelijk', zegt Rob. 'Zo te zien ligt hij op z'n kant.' Een truck met oplegger is in de bocht van de oprit naar Bergen op Zoom omgevallen.

Rob wil gaan landen. Het toestel hangt achterover en begint te trillen. De snelheid loopt fors terug en ook de vlieghoogte neemt nu snel af. Alledrie zoeken ze naar een geschikte plaats om de heli neer te zetten. Even later zien ze een politieman driftig met zijn armen wapperen. Hij gebaart waar ze kun-nen landen. De herrie in de helikopter, maar ook daarbuiten, neemt flink toe.

'Redelijk plekje, zo te zien', zegt Frans door de intercom.

Petra zit al klaar om, zodra ze aan de grond staan, meteen met een zware rugtas met allerlei medische spullen naar de plaats van het ongeval te rennen.

Als ze enkele meters boven de grond hangen, opent Frans zijn deur. Hij zet een voet op een steun en buigt zich naar buiten. Zo kan hij beter zien of er werkelijk niets onder het toestel is wat gevaarlijk kan zijn voor de landing. Hij steekt zijn duim omhoog naar Rob. 'Oké!'

Als de heli met zijn onderstel de grond raakt, stopt Rob de motoren. Het toerental zakt snel naar nul. Rob kijkt op zijn horloge. Ze hebben er 18 minuten over gedaan. 'Mmm, niet slecht!' mompelt hij.

Petra maakt haar veiligheidsgordel los en trekt de schuifdeur open. Een tel later springt ze naar buiten. Ze hangt een rugtas om en rent voor de helikopter langs. Dan moet ze een stukje omhoog, want de oprit waar de gekantelde pechvogel ligt, is wat hoger. Bovenaan moet ze over een vangrail klimmen.

Aan de andere kant staat al een politieman op haar te wachten. Hij neemt de zware tas van haar over. 'Uit de cabine geslingerd', zegt de man, terwijl hij met haar mee rent. 'De man is buiten bewustzijn. En z'n ademhaling en polsslag zijn nogal zwak', hijgt hij.

Dan ziet Petra dat er al ambulance aanwezig is. Mooi zo! Zonder handen te schudden stelt ze zich aan de ambulancebroeders voor. 'Petra Rottiné.'

Een broeder loopt nu met haar mee. Intussen komt Frans er ook aan met nog een tas.

De voorruit van de Scania ligt er helemaal uit. De truck is met zijn voorkant tegen een lantaarnpaal gegleden. Deze botsing heeft de meeste schade aangericht. De vangrail is weggeduwd en ligt in een rare bocht op zijn kant.

Een stukje voor de vernielde cabine ligt de chauffeur op het asfalt. Petra knielt bij hem neer. De ambulancebroeders hebben al een infuus ingebracht. Ze onderzoekt de man snel, maar grondig en zegt dan: 'Oké, ik ga hem onder narcose brengen. Lijkt me beter in zijn situatie. Brengen we meteen een beademingsbuisje in.'

'Dat mag alleen een arts doen', zegt Frans tegen een politieagent die naast hem staat.

Een van de ambulancemensen rent naar de openstaande auto en haalt er apparatuur uit. Het gaat allemaal razendsnel en dat is wel nodig ook, want elke seconde telt.

Petra zit op haar knieën naast de chauffeur. Frans hurkt aan de andere kant. Ook een van de ambulancebroeders knielt erbij, terwijl de andere een zak vocht vasthoudt. Op het eerste gezicht is de chauffeur, op wat schaafwonden en zwellingen na, niet gewond, maar de man heeft waarschijnlijk inwendige verwondingen. En die kunnen heel gevaarlijk zijn.

Als Petra klaar is, leggen de ambulancebroeders de patiënt op een brancard. Petra houdt de ademhaling van de man die nu door apparatuur is overgenomen, in de gaten. Voorzichtig trekken de broeders de brancard omhoog. Op deze manier ontstaat automatisch een verrijdbaar bed. Dan gaan ze met de in blinkende folie ingepakte man naar de ambulance waarvan de achterklep al openstaat. Petra gaat mee in de ambulance. Het ziekenhuis is vlakbij, in Goes. Het heeft dus weinig zin om het slachtoffer per heli te vervoeren. Rob en Frans zullen Petra daar straks kunnen oppikken.

Een uur nadat ze zijn weggevlogen, stappen ze alledrie, op Zestienhoven, weer uit de helikopter. Eindelijk is er tijd voor de koffie. Petra, Frans en Rob spreken op het kantoor alles nog eens door wat ze het afgelopen uur hebben gedaan. 'Debriefing' heet dat, vertelt Frans tegen Timo.

4.

Een vreemde doos bonbons

In winkelcentrum De Akkershof loopt Johnny om zich heen te kijken. Hij heeft hier al vaker iets met Amir besproken wat niet voor andermans oren bestemd was. Al zijn hier veel mensen aanwezig, toch is er best een hoekje waar je ongestoord met elkaar kunt praten, bij de uitbreiding bijvoorbeeld. Daar wordt een aantal nieuwe winkels gebouwd. 's Avonds is het bij de bouwhekken lekker rustig. Bovendien is het vlak bij de snackbar. Handig om vlug een colaatje of zo te kopen.

Opeens krijgt hij een harde klap op zijn schouder. 'Keurig op tijd, Johnny!'

Johnny draait zich verschrikt om. Hij geeft Amir een por tegen zijn schouder. 'Je laat me schrikken, man!'

Amir ziet er goed uit. Zijn zwarte haar glanst. Hij draagt altijd dure merkkleren. Hoe komt hij daaraan? denkt Johnny.

'Je moet niet zo schrikachtig zijn. Dat mag straks ook niet, weet je.' Even is het stil. Dan vervolgt Amir: 'We gaan ergens kijken met m'n scooter. Ik weet dat jij, net als ik, wel eens wat poen nodig hebt. En ik heb daar iets moois op bedacht. Deze keer beter dan ooit, man. Kom, ga je mee? We hebben samen al meer dingetjes geregeld. Ik weet dat ik wat aan je heb. We gaan eerst ergens kijken, daarna vertel ik je meer.' Amir loopt naar de uitgang van het winkelcentrum waar zijn scooter staat.

Johnny volgt hem zonder iets te zeggen. Eerst maar eens zien wat hij van plan is, denkt hij.

Rob drukt op de voordeurbel van de overburen. Timo staat naast hem.

Na de inzet bij Goes is het alarm nog twee keer afgegaan. Een keer naar Hardinxveld-Giessendam. Maar die oproep werd gecanceld en dus waren ze boven Kinderdijk weer omgedraaid, vertelde Frans. Tegen zes uur klonken nog eens de drie piep-toontjes. Timo had ze al een paar keer gehoord. Toch schrok hij ook deze keer weer. In Nieuw-Beijerland was iemand van een ladder gevallen.

Niet lang nadat ze thuis waren, stond de politie voor de deur om over de lek gestoken banden te praten. De ijverige buur-man had de politie al gebeld. De agenten konden niet meer opschrijven dan wat Rob en Timo 's morgens aan de Audi had-den ontdekt. Rob lichtte de agenten nog wel in over het voorval in de supermarkt en daarna. Maar hij zei er meteen bij dat hij geen bewijs had voor enig verband tussen de diefstal en de lekke banden. Ze beloofden hem in te lichten als ze iets meer wisten, maar zeiden erbij dat die kans niet erg groot was.

Nu staan de broers bij de voordeur van Truida en Jan. Er klinkt een hol 'ding-dong' in de hal. Het duurt even voordat buurvrouw Truida verschijnt.

'Hé, daar hep-ie onze pechvogel Rob. Je broer is er ook bij. Jofel dat jullie nog benne gekomen. Kom d'r in. We zitten ach-ter in de tuin.'

'Nog gefeliciteerd, Truida. Heeft Jan je m'n presentje al gege-ven, of ... heeft hij het zelf opgegeten?'

'Nou, gelukkig niet! Stel je voor sèg, dan liep-ie nou te ...'

'Truida, waar zit je?' klinkt het buiten.

'Joehoe! 'k Kom d'r an. 'k Laat effe Rob en z'n broertje binne!'

schreeuwt ze terug in onvervalst Amsterdams.

'Oh, sorry schat, ik wist niet dat je bezig was. Hé, daar hebben we Rob met z'n lekke banden.'

Rob en Timo lopen door de keukendeur naar buiten. Het achtertuintje zit gezellig vol. Rob stelt zich voor, want de meeste gasten kent hij niet.

Truida komt meteen met koffie en gebak voor de broers. Dat laten ze zich goed smaken. Intussen krijgt Rob allerlei vragen over de banden op zich afgevuurd. Hij moet het hele verhaal uitgebreid vertellen. Na enige tijd zijn de verwensingen over de jeugd van tegenwoordig en in het bijzonder over buitenlandse jongeren niet van de lucht.

Rob houdt eigenlijk helemaal niet van dit soort gesprekken. Timo kent zijn broer goed en kijkt dan ook schuin naar Rob. Deze probeert het over een andere boeg te gooien. 'Nu heb ik eigenlijk nog geen antwoord op m'n vraag van even geleden bij de deur, Truida.'

Truida krijgt een diepe denkrimpel boven haar ogen. 'Oh ja, dat wou ik je nog segge, ja. Ik wil se best delen met Jan, maar die malloot wou dat ik mijn deel op zou eten. Nou, daar bedank ik foor, dat ken je wel begrijpen!'

Rob kijkt haar verbaasd aan. 'Oh! Is 't niet helemaal je smaak?' vraagt hij voorzichtig.

'Seker wel, sèg, nou en offie, heerluk in bad. Maar ik wou so juist al segge dat as Jan se had opgegete, hij nou self liep te bellen blaasen.'

Rob valt van de ene verbazing in de andere. Ook Timo begrijpt er niets meer van.

'Wacht, ik sal ut doosie effe hale.'

Even later zit Rob verbouwereerd met het cadeautje in zijn handen. Dan barst hij in een daverende lach uit. Hij heeft een doosje met wel zestien verschillende proefzeepjes ter grootte van een bonbon vast. Timo heeft het ook opeens door. In de haast heeft Rob gisteren natuurlijk een doosje gepakt naast de rijen bonbons, zonder er verder op te letten. Als het gezelschap het verhaal hoort, is het gebulder niet meer van de lucht.

Intussen staat Amirs scooter op het fietspad achter het Esso-tankstation De Tramdijk. Johnny ernaast en Amir zit erop. Ze turen naar het tankstation. Ze praten gedempt, alsof ze bang zijn dat iemand hen kan horen op het eenzame fietspad.

'Klopt. Hier werkt die broer van Yasseen. Ik kom wel eens bij ze thuis', vertelt Johnny.

'Ah, da's mooi. Kun jij daar wel eens proberen wat dingetjes te weten te komen. Zie je wel, twee weten altijd meer dan één. Maar goed dat ik je weer gevraagd heb. Je weet wat je moet doen. Ik zal ook het een en ander uitzoeken.' Amirs donkere ogen vernauwen zich als hij nog eens goed naar het tankstation kijkt. 'Kom, dan breng ik je even naar huis.'

5.

Johnny informeert

De volgende ochtend rijden Timo en Rob opnieuw naar vlieg-veld Zestienhoven. De buurman heeft nog een dagje vrij en heeft zijn auto weer beschikbaar gesteld. Dat komt Rob goed uit. Als hij morgen niet hoeft te werken, kan hij nieuwe ban-den gaan regelen.

Op het station is het, na de gebruikelijke voorbereidingen, weer wachten tot ze een oproep krijgen. Vandaag duurt dat niet lang. Ze zijn nog maar net klaar of Timo hoort weer een paar piepjes. Het is de pager van Rob. Binnen enkele seconden rent hij naar de heli.

Timo had zich deze morgen voorgenomen om de tijd te klok-ken die de bemanning nodig heeft om op te stijgen. Meteen na de piepjes drukt hij het knopje van zijn stopwatchhorlo-ge in. De digitale cijfertjes beginnen te lopen. Hij gaat bij het raam staan en tuurt naar de heli. Hij weet dat het toestel gaat opstijgen als het geluid verandert. Zijn wijsvinger houdt hij op het knopje van zijn horloge. Opeens komt de heli los van het platform. Op hetzelfde moment drukt Timo in en kijkt op zijn horloge. 'Twee minuten en achtenvijftig seconden.'

'Mooie tijd, hè!' hoort hij Thomas aan de andere kant van het kantoor zeggen.

Yasseen Achatabi is in Nederland geboren, net als zijn broers en zussen, op Rachid, zijn oudste broer, na. Af en toe zoekt Yasseen wat maats bij de Edah op. Beetje bijkletsen. Maar meestal luistert hij alleen maar naar de stoere verhalen van de oudere jongens. Leuk natuurlijk, maar hij weet wel dat er vaak sterk wordt overdreven. Hij blijft meestal liever thuis. Lekker games spelen op de computer.

De bel gaat. Een van zijn zusjes doet de voordeur open. Hij hoort het al. Het is Johnny. Ze kennen elkaar van school en van bij de Edah. Hij staat op vanachter zijn pc en loopt naar de gang.

'Hé, Johnny, kom binnen. Ik ben net m'n nieuwe game aan het spelen. Gaaf, man! Kom maar eens kijken.'

Johnny loopt achter Yasseen aan naar de kleine, overvolle kamer. Behalve een kastmeubel staan er twee banken, een tafel, een aantal stoelen, een meubel met een grote televisie erop en ook nog twee computermeubels met inhoud. Er is niet veel ruimte meer om er tussendoor te lopen.

Yasseen zit alweer op het krukje achter de pc en Johnny schuift een van de stoelen bij. 'Kijk, met deze figuur moet je ... en dan krijg je daar ...'

Johnny vraagt: 'Is je oudste broer niet thuis?'

'Nee, die is werken. Moet je hier zien, als je deze ...'

Johnny heeft totaal geen aandacht voor het spel. 'Oh, waar werkt hij dan?'

'Bij De Tramdijk, weet je wel, het Esso-tankstation. Dat heb ik je toch al eens verteld? Maar eh, ik was bezig je uit te leggen hoe deze ...' Yasseen stopt en kijkt Johnny onderzoekend aan. Dan gaat hij door met zijn verhaal.

Johnny heeft wel in de gaten dat hij nu niet veel te weten komt en probeert wat meer aandacht te schenken aan Yasseens nieuwe spel. Deze ratelt aan één stuk door, nu Johnny geen vragen meer stelt. 'Nou, wat vind je ervan?' vraagt Yasseen ten slotte.

'Ja, joh, vet spel! Wel ingewikkeld.' Johnny doet net alsof hij het bijna snapt.

'Zullen we even wat drinken? Colaatje?'

'Is best', bromt Johnny.

Yasseen komt uit het keukentje met twee blikjes.

'Maar die broer van je, werkt die al lang bij dat tankstation?' begint Johnny opnieuw.

'Hoezo, wil jij daar soms ook gaan werken?'

'Nou eh, nee ... of ja, je weet nooit. Misschien is het wel een leuk baantje.' 'Nou, m'n broer heeft het er goed naar zijn zin en hij verdient er best, hoor! Kun je wel zien aan z'n auto.'

'Ben je er wel eens wezen kijken?' vraagt Johnny. Hij weet dat Yasseen best trots is als het om zijn grote broer gaat.

'Wat dacht je? Natuurlijk, maar 't is verantwoordelijk werk, hoor. Je gaat met veel geld om.'

'Oh, ja ... vanzelf ...' zegt Johnny. 'Maar eh ... hoe ... Moet hij dat geld 's avonds in een kluis leggen of zo?'

'Dat weet ik niet precies. Ik dacht dat de baas van het tankstation het geld 's avonds ophaalt. Of eh ... nee er komt altijd een auto van waardetransport'

'Mmm.' Johnny durft eigenlijk niet verder te vragen. Zijn nieuwsgierigheid zou wel eens op kunnen vallen. Dat moet hij niet hebben. 'Altijd zei je?' waagt hij nog een keer.

'Dat denk ik wel', is het antwoord. Even is het stil. Dan begint Yasseen over iets anders.

Johnny is daar eigenlijk wel blij om. Hij voelt zich bij die stilte wat ongemakkelijk. Zijn vragen zullen toch geen argwaan wekken? Yasseen mag niets merken van zijn bedoelingen. Hij probeert zo normaal mogelijk mee te praten, maar zijn gedachten dwalen steeds af. Na een uurtje stapt hij op. 'Ik ga weer naar huis. Als je weer eens een nieuwe game hebt, wil ik die graag zien.' Johnny wil het contact met Yasseen graag een beetje warm houden.

Het is druk op het strand bij Oostvoorne. Aan de waterlijn is een jongen in de weer met een reusachtige vlieger, een kite. Hij heeft een surfpak aan en een helm op. Boven het water zijn meer kites te zien. Als de jongen alles heeft gecontroleerd, pakt hij een kleine surfplank en loopt een eind het water in. Het kost nogal wat moeite om de kite in bedwang te houden, maar uiteindelijk lukt het hem op het surfplankje te gaan staan. Vervolgens laat hij zich door de kite vooruit trekken.

Een paar keer vaart hij heen en weer, waarbij hij de kite behendig bestuurt. Hij kijkt eens naar de lucht en laat de kite wat hoger gaan. Zijn snelheid wordt groter en bij een golf komt hij los. Hij springt een paar meter over het water. Het gaat goed. Zijn sprongen worden steeds hoger. Het is mooi weer, alleen is er zo nu en dan een rukwind.

Opnieuw maakt hij zich klaar voor een sprong. De volgende moet altijd beter zijn. Het water spat onder zijn surfplank weg. Hij ziet een mooie golf voor zich. Dan is hij weer los. Het geeft een enorme kik om zo te vliegen.

Plotseling voelt hij een rare ruk aan de lijnen van de vlieger. Hij schrikt, maar krijgt niet de tijd om in paniek te raken. Het gaat allemaal heel snel. Opeens wordt er niet meer aan de lijnen getrokken. De vlieger krijgt een frommelige vorm en de jongen stort naar beneden.

6.

Dat is 'em!

Piep – piep - piep!

'Daa gaam ... we wee!' roept Rob met een mond vol spaghetti. Hij kijkt meteen op zijn pager. Er staat een dampend bord voor hem. Tegenover hem zitten Petra en Frans met een paar spek-pannenkoeken, eveneens uit de magnetron. Ook Timo doet zich te goed aan de pannenkoeken.

Rob springt overeind en laat de spaghetti voor wat het is. Met een vaart beent hij de kantine uit, via het kantoor naar buiten. Ondertussen veegt hij met zijn hand langs zijn mond en slikt alles vlug door.

Petra rent achter hem aan naar de telefoon in het kantoor. Ze belt snel met CPA Rijnmond voor verdere gegevens over het ongeval en het juiste adres.

Frans is ook opgesprongen en gaat op een kaart naar de locatie zoeken.

Timo loopt weer snel naar een raam in het kantoor. Het blijft iedere keer spannend om mee te maken als het team in actie komt na het alarm. Timo krijgt er niet genoeg van. Nu weet hij het zeker. Helikopterpiloot wil hij worden! Natuurlijk zal hij er flink voor moeten leren, maar dat geeft niet. Na de vakantie hoopt hij naar de brugklas havo-vwo te gaan. Een goed begin. Flink z'n best doen. Dan moet het lukken. In gedachten ziet hij zich al op de pilotenstoel zitten. Eigenlijk ziet hij de opstijgende Lifeliner 2-heli niet eens meer. Nee, hij zit er zelf in, kijkt door de voorruit en trekt de ... eh ... hoe heet dat ding naast z'n stoel ook al weer ... o ja, collective omhoog. Meteen duwt hij de eh ... cyclic iets naar rechts en ook het rechtse voetenstuur krijgt een duw. Timo's hoofd gaat mee naar rechts.

'Je valt toch niet om, hè?' hoort hij achter zich. Thomas komt het kantoor in. Timo voelt dat hij een rood hoofd krijgt. Hij grijnst maar eens.

De gele helikopter verdwijnt al in de verte. Alsof hij Timo's gedachten van zo-even kan raden, vraagt Thomas: 'En wat wil jij later worden?'

Timo aarzelt, maar zegt dan: 'Net als m'n broer ... hoop ik.'

'Dan zit het vliegersbloed zeker bij jullie in de familie? Nou, het is een mooi vak. Ik ben na m'n schoolopleiding ook gaan vliegen. Eerst bij de Duitse luchtmacht en sinds een aantal jaren als piloot op een traumahelikopter.'

'Vliegt u zelf ook?' vraagt Timo.

'Jazeker, als base-manager heb ik vanzelf hier op het station een hoop werk te doen, maar ik wil het vliegen niet graag verleren, dus draai ik ook diensten mee.'

Timo heeft met Rob wel eens gesproken over de opleiding, maar nu hij met Thomas aan de praat raakt, wil hij van alles meer weten. Thomas neemt de tijd om hem alle mogelijkheden uit te leggen. Timo luistert aandachtig en denkt helemaal niet meer aan zijn spekpannenkoek.

Intussen vliegen Rob, Petra en Frans al over Oostvoorne. Even verderop ziet het zwart van de mensen. Allemaal badgasten.

'Kijk, daar is de politie. Die maakt al een plaatsje voor ons vrij.' Ze zien een kring van mensen die steeds ruimer wordt.

Enkele politiemensen zijn druk in de weer de toeschouwers terug te dringen.

Rob draait over zee weer in de richting van het strand. Dan hebben de badgasten, maar ook zijzelf, geen hinder van opstuivend zand. Hij laat de heli zakken en snelheid minderen.

Zodra de metalen sleeën het natte zand vlak bij de waterlijn raken, wipt Petra uit het toestel. Ook Frans staat meteen buiten. Ze rennen met hun rugtassen naar de plaats van het ongeluk. Vanuit de lucht hebben ze al gezien waar ze moeten zijn.

'Nog geen ambulance', hijgt Petra.

'Ik denk dat hij hier niet kan komen. Maar ik zie al wel een paar ambulancemensen. Die zullen zeker gebracht zijn met die dinky toy daar', antwoordt Frans. Hij wijst naar een grote terreinwagen van de politie. 'Dan kan het wel eens een klusje voor ons worden.'

Als ze bij het slachtoffer komen, vertelt een politieman wat er gebeurd is. De jongeman is aan het kitesurfen geweest. Waarschijnlijk door een onverwachte rukwind is hij een beetje te snel vanaf een meter of tien naar beneden gesuisd en in het water terechtgekomen. De knul had de pech dat er op die plaats waar hij is neergekomen maar zo'n vijftien centimeter water staat. Omstanders die het zagen gebeuren, merkten direct dat er iets niet in orde was. Ze hebben hem vlug op het droge gebracht. Nu ligt hij in het zand en klaagt over zijn rug.

Frans rent terug naar de helikopter. Rob heeft hem al stilgezet en stapt juist uit. Ze halen de brancard uit de helikopter. Een van de broeders is achter Frans aan gelopen. Samen met hem neemt Frans de brancard mee naar de gewonde. Rob blijft bij de helikopter.

Petra heeft intussen al een infuus ingebracht, terwijl de andere ambulanceman een zak met vocht omhoog houdt.

De patiënt wordt in een opblaasbare spalk gelegd om zijn beschadigde rug zo weinig mogelijk te laten bewegen. Daarna wordt hij op de brancard naar de wachtende helikopter gebracht. Het neemt alles bij elkaar niet veel tijd in beslag, en even later hangt de heli weer in de lucht op weg naar het ziekenhuis in Rotterdam. Tijdens de vlucht wordt al een ambu-

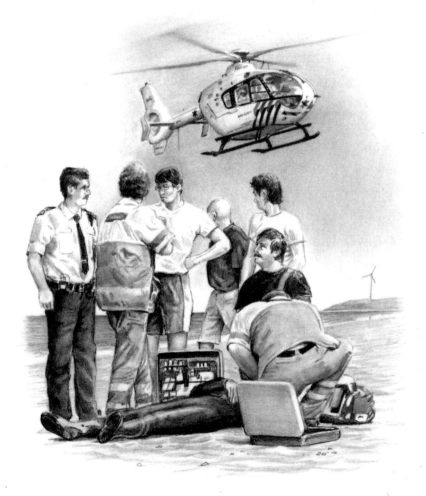

lance naar de landingsplaats van de heli in de buurt van het ziekenhuis geregeld. Dijkzicht heeft geen eigen helidek op het dak.

Nadat de patiënt is afgeleverd, vliegt het team terug naar het helikopterstation.

Als het werk voor die dag achter de rug is, rijdt Timo met Rob naar huis.

'Ziezo, eerst een paar dagen vrij.' Rob klinkt opgetogen, al weet Timo dat hij zijn werk met veel plezier doet.

Timo is iets minder vrolijk. Twee bijzondere dagen zijn voorbij. Hij heeft er enorm naar uitgekeken. Maar nu weet hij dan ook echt wat hij wil worden. En misschien mag hij nog wel eens mee.

Net over de Spijkenissebrug, als het benzinestation in zicht komt, zegt Rob: 'Ik zal eerst wat tanken voor de buurman als dank voor het lenen van de auto.' Hij keert bij de stoplichten, een stukje voorbij het tankstation, want de weg heeft gescheiden rijbanen. En tankstation De Tramdijk ligt aan de andere kant van de weg.

Even later staan ze naast een van de pompen. Terwijl Timo en Rob hun gordels losmaken, ziet Timo een scooter voorbij flitsen over het fietspad achter het tankstation. Hé, was dat niet ... schiet het door hem heen. Ja, dat is 'em!

Als Rob klaar is met tanken, lopen ze naar binnen om af te rekenen. Rechts voor de shop staat een donkerblauwe BMW.

Achter de kassa zit een jongeman met kortgeknipt, zwart haar en een gouden oorbelletje. 'Goedenavond, meneer. Pomp 2?'

'Ja, klopt.'

'Dat is dan precies 20 eurootjes, alstublieft.'

Rob geeft de jongeman een briefje, bergt zijn portemonnee op en pakt het bonnetje aan.

'Tot ziens en een prettige avond', klinkt het vriendelijk achter de kassa.

'Ja, jij ook.'

Als Rob de weg op draait, ziet Timo een eindje verderop een scooter op het fietspad achter het tankstation staan. Ja, dat is hem. Zo-even twijfelde hij nog. Nu weet hij het zeker.

Rob kijkt naar links. Het is erg druk. Timo wil hem niet storen. Dan is er een gaatje en rijden ze de weg op. Ze passeren de scooter. Timo kan niet zien waar de jongen op de scooter naar kijkt. Hij zal ons in deze auto niet herkennen, denkt hij. Aan de overkant van de brug keren ze bij de eerste kruising weer om en rijden naar huis.

Een eindje voor het tankstation staat nog steeds de jongen met zijn scooter. Hij wacht zeker op iemand, denkt Timo.

Voordat hij er echter iets over kan zeggen, zegt Rob: 'Zo, Tiem, drie dagen werken en zeven dagen vrij is toch een prachtbaan. Niet dan?'

Daar is Timo het mee eens. 'Ik eh, denk dat ik er ook voor wil gaan leren.'

Rob schiet in de lach. 'Nou, dan kun je er tegenaan, broertje. Ik weet er alles van.'

'Maar ik heb het er met Thomas over gehad, toen jullie weg waren', zegt Timo.

'Natuurlijk, joh! Wat dacht je. Ik zal je zeker niet tegenhouden. Ik kan je alleen maar gelijk geven. Maar zoals ik al zei, 't is een pittige opleiding. Maar dat gaat jou wel lukken. Je hebt natuurlijk wel af en toe een weekenddienst, dus ook zondags-dienst. Maar net als ziekenhuis- en ambulancepersoneel is dit werk noodzakelijk en dat is ook de reden dat ik er geen moeite mee heb. Bij m'n vorige werkgever, de Koninklijke Luchtmacht, was dat allemaal even anders. Daar werd ik regelmatig uit-gezonden naar het buitenland. Maar dat weet je. Dan was ik soms maanden van huis. Ik heb er een mooie tijd met fijne collega's gehad, hoor! Bovendien een prima opleiding. Maar ik heb nog steeds het gevoel dat ik een goede keuze heb gemaakt met de overstap naar het team dat jij de afgelopen twee dagen hebt meegemaakt. Het was trouwens een overstap die mooi aansloot. Bij de luchtmacht vloog ik in een Bölkow 105. Toen ik bij Lifeliner 2 kwam, vlogen we ook nog met zo'n toestel. Nu hebben we een Eurocopter. Veel mooier en veel moderner.'

Door het gesprek over de pilotenopleiding is Timo de scooter weer vergeten.

'Ik was trouwens nog vergeten iets te vertellen', gaat Rob verder. 'Misschien heb je het al ergens gelezen. Zaterdag geeft Lifeliner 2 een demonstratie, samen met de politie, ambulan-cedienst en brandweer. Dat doen ze hier op de parkeerplaats bij het zwembad. Een paar collega's van mij verzorgen die demo. 'k Zou daar zeker naartoe gaan, als ik jou was.' En met een knipoog vervolgt hij: 'Dan krijg je van mij met schilderen een middagje vrijaf!'

'Je mag blij zijn dat ik je help. En trouwens, welke baas laat z'n personeel tot en met zaterdagmiddag doorwerken?'

'Oh oh, wat zijn we weer dankbaar. Ik zal je nog eens mee-nemen naar Lifeliner 2', kaatst Rob terug.

De buurman verschijnt zelf aan de deur als Rob aanbelt. 'Hé, Rob, was je er al weer?'

'Ja, zoals je ziet, hè? Hier is de autosleutel weer en je wordt hartelijk bedankt. Ik heb je tank nog even gevuld.'

'Ach man, dat was toch helemaal niet nodig geweest. Dat ouwe brikkie rijdt zo zuinig als wat. Maar goed, toch bedankt. Enne, als het weer nodig is, kan je me altijd vragen!'

Rob groet de buurman en loopt met Timo naar huis. Daar staat de Audi nog steeds met vier platte banden. Duf gezicht eigenlijk. Morgen zullen ze het gaan verhelpen.

7.

Gluurders bij 'De Akkershof'

'Zo, we hebben wel een goede maaltijd verdiend, denk ik!' Rob stapt van de ladder af, die aan de achterkant van zijn huis staat.

Timo, die juist het onderste stukje van de keukendeur heeft geschuurd, komt overeind en wrijft eens over zijn buik.

Vanmorgen zijn ze twee keer met twee wielen van de Audi naar de garage geweest. Ze mochten nog een keer de Corsa van de buurman gebruiken. De A3 staat nu weer normaal op z'n pootjes. Daarna hebben ze allerlei spullen gehaald die ze nodig hebben voor de verfklus. Toen was de ochtend al weer om. Ze hebben de hele middag geschuurd. Al het houtwerk aan de achterkant is nu zo ongeveer kaal en het vel op hun vingers ook. Timo heeft zelfs een blaar op zijn rechter wijsvinger.

'Niks gewend, hè, als je je hele leven alleen maar een pen vasthoudt', zei Rob lachend.

Kort daarna was het de beurt van Timo om te lachen toen Rob van de trap af midden in een emmer sop stapte. 'Moeilijk, hè? Landen, zonder zijwieltjes', schaterde hij.

Gelukkig is het schuren aan deze kant nu gedaan en krijgen hun vingertoppen even rust. Morgen wordt het grondverven. En morgenmiddag is Timo vrij. Dan gaat hij naar de demonstratie.

'Ik wil straks nog even naar het winkelcentrum. We zijn vanmorgen de kwasten vergeten en ik moet nog naar de fotograaf. Als jij alles een beetje opruimt, ga ik nu even naar de Chinees.

Daar heb je toch wel zin in?'

Timo wrijft met twee handen over zijn buik. 'Nou en of. Ik rammel!'

Rob bestelt alvast per telefoon. Dan kan hij vlug terug zijn.

Een half uurtje later zitten ze buiten achter het huis aan de tuintafel, ieder met een grote bak babi pangang voor zich. Timo hangt er al met zijn neus boven. 'Mmm. Wat ruikt dat weer heerlijk!'

Achter Esso-tankstation De Tramdijk ligt een kleine parkeerplaats. Er staan een paar aanhangwagentjes met een rode kap erop. Daarop is een grote tijger afgebeeld en in witte letters staat ernaast: 'Tijgerbakverhuur'. Achter de aanhangers zitten twee jongens aan een scooter te prutsen. Ze hebben hun helm nog op. Het lijkt erop dat de scooter panne heeft.

Even later draait een dikke Mercedes het parkeerplaatsje op. Een forse man van rond de vijftig stapt uit. Terwijl hij een achterdeur van de winkel van het tankstation opent, springt zijn auto automatisch in het slot. Hij heeft de jongens met hun scooter niet gezien. Zij hebben hem wel gezien. De man, de eigenaar van het tankstation, controleert de voorraad brandstof en gluurt terloops even de shop in. Tevreden met de omzet noteert de man vervolgens wat bijbesteld moet worden. Die Rachid, denkt hij, da's een fijne knaap. Altijd opgewekt, netjes tegen de klanten en voor ieder een woordje. Zo hoort het. Op deze manier bind je je klanten. Bovendien is die knul nooit te beroerd om over te werken als dat nodig is. Echt iemand waar je op aan kunt.

Als de man klaar is met de voorraadopname, loopt hij de

shop in. Er gaat juist een klant de deur uit. 'Zo, Rachid, is het een beetje gelopen vandaag?'

'We mogen niet klagen, denk ik', klinkt het van achter de kassa. 'Ik heb nog geen tijd gehad om het papiergeld te tellen voor de auto van waardetransport.'

Er komt een klant binnen om af te rekenen.

De baas loopt naar de kassa. 'Laat maar, is niet erg. Ik sorteer de briefjes wel. Help jij deze meneer maar.'

Achter het tankstation staat nog steeds de scooter, met de twee jongens op hun hurken erbij. De ene prutst wat bij het achterwiel, maar zo te zien wil het nog niet helemaal lukken. Dan stopt er voor de shop een auto van waardetransport. De jongens bij de aanhangers hebben hem opgemerkt, maar rommelen verder aan de scooter. Als het geld in de gepantserde auto is geladen, rijdt hij weg. Vrijwel meteen daarna wordt de achterdeur van de shop geopend en stapt de man van de Mercedes naar buiten.

Even is alle aandacht voor de scooter verdwenen. De jongens gluren tussen de aanhangwagens door en zien de man instappen. De ene jongen kijkt op zijn horloge. 'Mmm ... het is nu kwart over zes. Een kwartiertje binnen geweest, net als gisteren en ook tegelijk met die auto van waardetransport, Johnny', mompelt hij. Johnny knikt, maar zegt niets.

Rachid kijkt op de kleine monitors die zijn aangesloten op enkele camera's. Een ervan staat, vanaf het dak van de shop, gericht op het parkeerplaatsje achter het tankstation. Kijk, daar stapt zijn baas in. Maar wat is dat nu? Daar zitten twee jongens

54

met een helm op achter de huuraanhangers door naar zijn baas te loeren. Naast hen staat een scooter. Hij kan niet zien welke kleuren de scooter heeft. De monitor is zwart-wit. Toch kent Rachid die scooter ergens van. Die dubbele streep ... Hij kan er even niet op komen.

Als de Mercedes is vertrokken, blijkt het probleem met de scooter opeens opgelost. De jongens stappen op en rijden weg.

Rachid zit naar de monitor te staren, waarop nu niets bijzonders meer te zien is. Dit is al de tweede keer van de week dat die scooter daar stond. Hij vraagt zich af of hij hem daarvan kent. Er komt weer een klant binnen.

Een paar minuten later stoppen Amir en Johnny bij de ingang van het winkelcentrum. Ze stappen af en lopen naar de ingang.

'Kom, we gaan eerst een colaatje pakken.' Amir kijkt nog een keer achterom. Zijn scooter staat niet op slot. Iedereen kent zijn scooter en niemand heeft het lef om hem mee te nemen.

'Ja, herkenbaar is-ie zeker', denkt Amir hardop.

'Wat zeg je?' vraagt Johnny.

'Oh, ik moet maar eens iets aan de scooter veranderen. Hij is erg herkenbaar en dat kunnen we binnenkort niet gebruiken. Die felgele strepen moeten er worden afgehaald. Maar dat is nog niet zo eenvoudig.'

Johnny komt met een oplossing. 'Ze kunnen ook tijdelijk afgeplakt worden met brede zwarte tape. Dan kun je die er daarna meteen weer af halen.'

Even is het stil. Dan zegt Amir: 'John, je bent veel slimmer dan je eruitziet. Dat is een prima idee! Ik heb thuis nog een hele rol zwarte tape.'

Zo lopen ze, al plannen makend, naar binnen. Als ze een flesje cola hebben gekocht, gaan ze weer bij het bouwhek staan.

'Ben jij inmiddels nog wat wijzer geworden?' vraagt Amir.

'Ik ben bij Yasseen thuis geweest ... oh eh ... daar heb je ze weer.' Johnny staat met zijn gezicht naar de ingang van het winkelcentrum. Hij draait zich snel om.

Zonder zich om te draaien vraagt Amir: 'Wie bedoel je?'

'Je vriendjes van de Edah ...'

Amir weet meteen wie Johnny bedoelt en trekt een vies gezicht.

Rob en Timo lopen de jongens aan de andere zijde van een kolossaal bloemperk voorbij. Ze zijn allebei verdiept in een grote folder en zien de jongens niet.

'Kom, laten we gaan. Ik heb geen zin om die gasten hier weer tegen het lijf te lopen.'

Als Rob en Timo een eindje verder zijn, draaien de twee jongens zich om en lopen het winkelcentrum uit.

'We gaan het op een vrijdag fiksen. Ik ben er inmiddels achter dat dit de drukste dag is. Dat heeft een nadeel, maar ook een voordeel.' Amir maakt een gebaar met zijn duim en wijsvinger en geeft er een vette knipoog bij.

Johnny probeert een beetje nonchalant te reageren. Maar hij voelt dat de spanning begint op te lopen. Ze hebben samen al meer zaken overhoop gehaald. Maar deze keer wordt het een grote. Amir heeft gelijk: ze moeten zich goed voorbereiden. Hij mag zich niet onzeker gaan voelen. Dat doet Amir ook niet. Daar is in ieder geval niets van te merken. Even doorbijten en daarna ... lang leve de lol! Hij kan best wat geld gebruiken. Voor een nieuwe computer bijvoorbeeld. Of dvd's. Heerlijk als je een poosje niet zo nauw hoeft te kijken bij wat je allemaal uitgeeft.

Timo en Rob komen het winkelcentrum uit. Ze hebben een paar kwasten gekocht. Rob heeft ook bij de fotograaf wat folders gehaald voor een digitale camera die hij wil aanschaffen. Hij heeft zich voorgenomen eerst maar eens op zijn gemak te bekijken wat er zoal te koop is. Buiten het winkelcentrum zien ze juist de scooter wegrijden, die ze allebei kennen.

'Dat is-ie weer!' zegt Timo. Onwillekeurig lopen ze wat sneller naar de auto. Er is gelukkig niets bijzonders aan te zien.

Over de parkeerplaats komt een slungelachtige jongen aan fietsen. Het is een kennis van Rob.

'Hé, die Arjan. Hoe is-ie?'

'Toppie, hoor! Met jou ook?'

'Ja, best.' Er schiet Rob iets te binnen. 'Zeg Ar, wat ik je wilde vragen. Jij weet nogal veel ...' Arjan trekt met opzet een dom gezicht. 'Jij moet daarnet een scooter zijn tegengekomen met twee jongens erop.'

Arjan krijgt een diepe denkrimpel boven zijn ogen.

'Een zwarte met gele strepen', vult Timo aan.

'Oh ja, klopt, dat was Amir.'

'Ken je die knul goed?' vraagt Rob.

'Nou kennen, kennen ... Ik ga niet met die gasten om, maar ik weet wel wie je bedoelt. Hij staat vaak bij de Edah, bij dat groepje, je weet wel. Waarom vraag je dat?'

'Nou, onder ons, ik had een paar dagen geleden in alle vier

de banden van m'n auto een keurig sneetje, met als gevolg dat ik nu vier nieuwe heb. Ik kan vanzelf niets bewijzen, maar toch heb ik wel mijn vermoeden vanwege een akkefietje met deze knaap. Wat denk je, is hij zo iemand?'

'Zou best kunnen. Ik zie hem er wel voor aan. 't Is nogal een patser en als je hem te grazen neemt, is-ie erg snel in z'n kuif gepikt. Echt een gast waar je mee uit moet kijken, vooral als-ie gebruikt heeft.'

'Dacht ik pas ook al te zien', antwoordt Rob. 'Bedankt, ik ga nu naar huis.'

'Ja, en ik ga nog even een paar boodschapjes doen voor m'n moeder. Die vond dat ze met haarkrullers in niet over straat kon. En dan ben ik weer de klos.' Met een zucht laat hij erop volgen: 'Vrouwe!' Weg is Arjan.

'Je ken beter kippe houwe!' roept Rob hem lachend na.

Arjan grijnst.

Dan stappen Timo en Rob in de auto en rijden naar huis.

8.

De Lifeliner 2 demo

Op de parkeerplaats bij het Rivièra-zwembad staan twee oude auto's tegen elkaar. Te dicht tegen elkaar zelfs. Allebei de voorkanten zijn ingedeukt en het plaatwerk is lelijk verfrommeld. Bij een van de auto's ligt de voorruit eruit. Er zit nog iemand in. De man uit de andere auto doet verwoede pogingen de man te bevrijden, maar dat lijkt niet erg te lukken. Het portier zit muurvast. In de verte klinkt de sirene van de brandweer al en kort daarna ook die van de ambulance. Het duurt niet lang of ze staan met hun blauwe flitslichten bij het ongeval.

'Wil iedereen achter de dranghekken blijven? Zo meteen zal hier een traumahelikopter landen en zullen de leden van het MMT Lifeliner 2 een demonstratie geven', klinkt het uit de luidsprekers die bij de hekken staan.

Timo is al vroeg in de middag met zijn fiets naar de parkeerplaats geracet. Hij wil een goede plaats hebben om alles te kunnen zien. Hij is het weekend weer thuis. Volgende week hoopt hij Rob weer te gaan helpen. 'Als je soms nog een paar van m'n collega's spreekt, doe ze dan de groeten', heeft Rob nog gezegd voordat hij wegging.

Gespannen staat iedereen te wachten. De meesten turen naar het tafereel vlak voor hen. Het wordt stiller in de menigte. Timo zet een voet op de onderste buis van het dranghek. Hij buigt zich wat naar voren en kijkt over het hek in het rond.

Hé, kijk nou. Daarginds staat die patser van die zwartgele

59

scooter ook weer. Vlug trekt hij zijn hoofd terug. Net iets te vlug. Door de heftige beweging glijdt zijn voet van de buis tussen de spijlen van het hek door. Gelukkig heeft hij het hek goed vast, maar toch raakt zijn kin nog juist de bovenste buis.

Naast hem staat een nogal forse man. 'Zeg, jongeman, pas je effe op! Zo meteen ken die traumaheli jou nog oplaaie!'

Snel krabbelt Timo overeind. Wat is hij toch een sufferd! Hij wrijft langs zijn kin. Tot zijn schrik zit er bloed aan zijn hand.

De man heeft het ook gezien. 'Tand door de lip? Laat eens kijken.' Hij bukt zich en bestudeert Timo's mond. 'Ja, ik zie het al. Je bloedt als een rund. Heb je een zakdoek bij je?'

Timo grabbelt in zijn broekzak en drukt dan de zakdoek tegen zijn mond. Hij bekijkt zijn zakdoek waar een flinke rode vlek op komt. Maar het bloeden wordt al gauw minder. Dan kijkt hij langs zijn grote buurman. De jongen van de scooter heeft hem hopelijk niet gezien. En dat is maar goed ook, denkt Timo, nu Rob er niet bij is. Hij voelt zich niet helemaal op zijn gemak.

Opeens klinkt er een geronk in de lucht. Dat is-ie! Timo kan de heli nog niet zien. Maar opeens komt het toestel laag over de zwemhal aanvliegen. Het hangt sterk achterover. Een eindje voorbij het publiek draait de heli. Met zijn neus naar de mensen gericht, zakt het toestel boven het afgezette parkeerplein naar beneden. Even later is hij geland en sterft het geluid van de motoren zacht fluitend weg.

De deuren gaan open en er springen twee mensen uit de heli, een man en een vrouw. Ze rennen met een rugtas naar de verkreukelde auto's.

'Hier mot je weze. Deze jongeman is gewond!' grapt de grote man en wijst naar Timo. De bemanning heeft hem gelukkig niet gehoord.

Timo krijgt het gevoel dat iedereen naar hem kijkt. Maar alle aandacht van het publiek is op het ongeval gericht. De ambulancebroeders zijn al met de 'gewonde' bezig, terwijl de brandweermensen zijn begonnen het dak van de ene auto af te knippen.

Het duurt nu niet lang of de beklemde persoon is uit het wrak gehaald. Samen met de ambulancebroeders buigen de man en de vrouw uit de heli zich over het 'slachtoffer'. Wat er allemaal precies gebeurt, is niet helemaal te zien. Achter op de roodgele vliegerkleding van de vrouw ziet Timo ARTS staan. Hij kent de bemanning niet, maar het moeten collega's van zijn broer zijn.

De piloot is ook uitgestapt. Vlak bij Timo roept iemand iets uit het publiek. Timo heeft het niet verstaan. De piloot blijkbaar ook niet, want hij loopt naar de plaats waar de man staat die naar hem riep. Al gauw is hij in gesprek met een paar mensen. De piloot staat nog geen twee meter bij Timo vandaan. Hij ziet dat er Gepco op zijn jas staat. Die naam hoor je niet zo veel, denkt Timo.

Als er even een stilte valt, zegt Timo: 'Meneer, u moet de groeten hebben van Rob Zandstra.'

De piloot kijkt in zijn richting. 'Ah, dank je. Da's een collega van me.'

'En een broer van mij', vult Timo aan.

Gepco komt voor hem staan. 'Wacht es even, ben jij soms pas bij ons op het station geweest?'

'Ja, dat klopt.' Timo weet even niet wat hij verder moet zeggen.

Gepco gaat verder: 'Ik heb gehoord dat ik concurrentie ga krijgen. Een piloot erbij bij Lifeliner 2, die bovendien nog graag spekpannenkoeken lust ook. Ze waren ineens allemaal op. Nee hoor, geintje. Maar eh, hoe vond je 't op het station?'

Voordat Timo antwoord kan geven, horen ze een loeiende sirene. De ambulance rijdt met hoge snelheid weg. De twee andere bemanningsleden lopen ook naar de dranghekken toe. Hun werk zit erop. De arts gaat nu niet met de ziekenauto mee, omdat het geen echt ongeval is.

'Kijk, daar komen mijn collega's aan.' Terwijl Gepco dit zegt, doet hij een stapje terug. 'Hooggeëerd publiek, mag ik aan u voorstellen onze charmante en zeer deskundige arts, Jeanne, en onze onvolprezen verpleegkundige, Albert?' Hij maakt er een buiging bij als een circusdirecteur. Meteen krijgt hij een opdoffer van Jeanne, zodat hij bijna omver rolt.

'Zeg, mevrouw de dokter, als u niet voorzichtig met mij doet, moet u straks lopend naar Zestienhoven', lacht Gepco.

Dan krijgen ze een serie vragen over zich heen, die ze zo goed mogelijk beantwoorden.

Opeens hoort Timo drie bekende piepjes. Hij weet wat dit betekent.

Gepco staat vlak bij hem en Timo ziet hem naar de pager grijpen. De piloot tuurt op het display. Ook Albert en Jeanne staan opeens met een pager in hun hand.

'Wacht even, mensen, dit is een echte oproep. Bruinisse ...' Gepco laat het apparaatje in zijn broekzak glijden en rent naar de helikopter. De andere twee bemanningsleden haasten zich achter hem aan.

'Sorry mensen, er is weer eens iemand onvoorzichtig geweest. Helaas voor jullie!' roept Albert, terwijl hij wegspurt. In een mum van tijd is de helikopter opgestegen en laat een verbaasd publiek achter.

'Dames en heren, ja, zo gaat het', klinkt het uit de luidsprekers. 'De bemanning van Lifeliner 2 heeft nu een echte oproep gekregen. We wisten dat dit kon gebeuren, maar toch onze excuses. Maar u hebt nu wel eventjes het echte werk kunnen zien. In ieder geval dank ik u voor uw aandacht. Als u wilt, kunt u verder de politie en brandweer nog ...'

Timo luistert niet meer. Voor hem is de show voorbij. Hij zoekt zijn fiets op en gaat naar huis.

Een paar stappen van de plaats waar hij zo-even stond, staan nog twee jongens.

'Gaaf toestel, vind je niet?' Johnny kijkt naar Amir. Die staat in de verte te staren. 'Wat zeg je?'

'Ja hoor! Als je valt, dan leg je ... Ik zei dat het een schitterend ding is, die heli.'

Amir bromt iets. Johnny merkt wel dat hij volop bezig is met vrijdag.

'Kom,' fluistert Amir ineens, 'ik breng je wel weg. Je moest toch nog wat kopen? Ik wil straks nog even naar De Tramdijk.'

Rob is achter zijn huis druk in de weer met een kwast en een pot grondverf.

Hé, kijk, daar heb je warempel m'n collega's alweer! denkt hij als hij Lifeliner 2 laag ziet over komen. Uit de richting die ze vliegen, maakt hij op dat ze een oproep hebben gehad. Dan is de show gauw afgelopen. Jammer voor Timo.

Hij doopt zijn kwast weer in de pot. Over enkele dagen mag hij zelf weer. Zijn vrije dagen zijn snel om. Maar dat is niet erg. Hij heeft er best weer zin in.

Rachid zit weer achter de kassa van het tankstation. Het is niet druk. Hij kijkt naar de monitoren. Nu moet het toch niet gekker worden. Dit is nu al de derde keer dat die scooter daar stopt als zijn baas er is. Rachids argwaan is gewekt en hij besluit zijn baas maar eens in te lichten. Hij loopt naar het magazijn waar de baas bezig is.

'Komt u eens kijken!' Hij loopt weer naar de kassa. Zijn baas loopt verwonderd achter hem aan.

'Kijkt u eens op de monitor van de achterkant.' Rachid wijst naar het meest rechtse beeldschermpje.

'Pech met z'n scooter, zo te zien', merkt de baas op en kijkt vragend naar Rachid. ' Dat is toch niet zo bijzonder?'

'Nee, op zich niet, maar wel toevallig dat die scooter er in vijf dagen drie keer precies op die plaats mee ophoudt.'

'Meen je dat? Dat is inderdaad een beetje vreemd. Ik zal eens even naar m'n auto gaan.' Meteen loopt de baas weg.

Buiten gaat de mobiele telefoon van Amir. Hij is wel zo wijs geweest dat hij de trilfunctie heeft ingeschakeld. Stel je voor dat er een beltoon zou afgaan als juist die man van de Mercedes naar buiten kwam. Gehaast pakt hij het apparaat uit zijn binnenzak. 'Amir.'

'Ja, met Johnny hier, Amir. Ik moet je even spreken, zo vlug mogelijk. Ik loop naar de Edah.'

Amir denkt na en kijkt naar de achterkant van de shop. Nou ja, hij heeft nog een paar dagen om hier te gaan kijken. "'k Kom er aan', zegt hij. Hij stopt zijn mobieltje weer in zijn zak en racet weg.

De achterdeur van de shop gaat open en Rachids baas stapt naar buiten. Hij kijkt even om zich heen, maar loopt dan met een paar grote passen naar de huuraanhangers. Met dezelfde snelheid loopt hij er tussendoor. Maar dan blijft hij verbaasd staan. Hij kijkt links en rechts. Er is niets te zien, tenminste niet wat hij heeft verwacht te zien. Hij loopt tussen de andere aanhangers door, maar ziet de scooter nergens. Dan gaat hij weer naar binnen en loopt een beetje nijdig naar de kassa.

'D'r was helemaal niks te zien', zegt hij.

'Maar u hebt het toch zelf ook op de monitor gezien?'

'Ja, je hebt gelijk. Ik zal toch de politie eens vragen of ze een oogje in het zeil willen houden. Want dit lijkt me toch een beetje verdacht.' Hij pakt meteen zijn mobieltje uit zijn binnenzak en toetst een nummer in.

Even is het stil. Dan is er contact.

'Met De Jonge van tankstation De Tramdijk. Ik wil u even iets melden. Er houdt zich al een paar dagen hier bij mijn tankstation een scooter verdacht op ... Nee, wat zegt u? ... Nee, verder heb ik niets gemerkt. ... Ja, graag! Als u een oogje in het zeil wilt houden. ... Ja, hoor, dat klopt. Onder dat nummer ben ik altijd bereikbaar. ... Prima. Bedankt.'

'Nou Rachid, ze weten ervan. Ze zullen wat vaker langskomen. Maar verder kunnen ze ook niets doen. We moeten alles wat maar een beetje verdacht is meteen melden. Dus dan weet je dat. Tot straks!'

De baas vertrekt en Rachid kijkt hem na op de monitor. Er is buiten niets bijzonders te zien.

Bij de supermarkt loopt Johnny ongeduldig heen en weer. Waar blijft hij toch? Dan komt Amirs scooter de bocht om scheuren. Het racemonster stopt met piepende remmen enkele centimeters voor Johnny's voeten.

Amir neemt zijn helm af. 'Wat is er aan de hand, John? Je klonk zo zenuwachtig.'

'Nou, dat zal wel meevallen', antwoordt Johnny die niet wil laten merken dat wat hij heeft gehoord wel degelijk op zijn zenuwen werkt. 'Weet je, die Yasseen, die sprak ik daarstraks toevallig in De Akkershof. Hij was weer een nieuwe game aan het kopen. En wat denk je dat hij me vertelde?'

Amir haalt zijn schouders op.

'Hij had van z'n broer gehoord dat-ie al twee keer dezelfde scooter bij De Tramdijk had gezien. Je mag dus wel oppassen!'

Amir schrikt. Hij denkt diep na. 'Goed dat je dat gehoord hebt, zeg. We moeten misschien iets in ons plan wijzigen. Ik ga daarover nadenken. Heeft-ie verder nog iets verteld?'

Johnny schudt zijn hoofd.

'Je hoort nog wel van me. Mazzel!' Weg is Amir weer.

9.

Een wilde achtervolging

Het is al druk in huis bij Judith als Timo met zijn opa en oma en Esther binnenkomen. Judith is vandaag jarig. Rob is er al. Na wat handen schudden en de nodige zoenen gaat Timo naast zijn broer zitten.

'Zo, broertje, vertel eens. Hoe was het eergisteren bij het zwembad?' vraagt Rob.

'Gaaf, man! Ik heb nog de groeten van je gedaan aan eh ... Gepco. Dat was de piloot.'

'Ja, dat kan kloppen. Heb je de anderen ook nog gezien?' vraagt Rob.

'Ja, een man en een vrouw.'

'Mm, als ik het goed heb, hadden Jeanne en Albert afgelopen zaterdag dienst. Fijne collega's. Je kunt met ze lachen.'

Het is even stil. Timo kijkt door het raam. Er stopt een dikke Mercedes voor de deur. Er stapt een man uit. Judith komt juist de kamer weer in.

'Komt je schoonvader aan, Judith!' roept Timo.

'Oké, zal ik meteen koffie voor hem inschenken.'

Even later komt de man de kamer in. Er staat nog één lege stoel, naast Rob. 'Is die nog onbezet?' vraagt De Jonge.

'Als u erop gaat zitten niet meer!' antwoordt Rob. 'Hoe is het? Gaan de zaken een beetje in de autobrandstof?'

'We mogen niet mopperen. Als de mensen maar een beetje blijven rijden, dan moet het wel lukken.'

'Daar zegt u wat, pa', zegt Daan, de man van Judith. 'Dan

moeten ze niet flikken wat ze hem hier geflikt hebben. Of niet dan, Rob? Want dan rij je geen meter meer.'

'Oh, is dat zo?' De Jonge kijkt Rob aan.

'Inderdaad. Ze hebben vorige week alle vier de banden van m'n auto lek gestoken.'

'Hè, wat vervelend. En er hing zeker geen briefje van de dader bij?'

'Nee, geen briefje. Maar ik heb wel mijn vermoedens.' Rob vertelt nog eens het verhaal met de winkeldiefstal in de Edah en alle gevolgen. Heel de kamer luistert mee. Als hij is uitverteld, komen de verontwaardigde reacties.

'Altijd weer die buitenlanders', hoort Timo ergens van achter de grote tafel.

Maar dan schiet De Jonge overeind. 'Dat zeg je nu, maar ik heb een Marokkaanse jongen in dienst. Ik wou dat er zo meer waren. Een peer van een vent! Ik merk zelfs aan m'n vaste klanten dat ze graag met hem te doen hebben. Je moet dus niet iedereen over één kam scheren.'

'Is dat die jongen met dat kortgeknipte haar en dat oorbelletje?' vraagt Rob.

'Dat klopt ja', zegt De Jonge.

'Dat is inderdaad een toffe gast', bevestigt Rob.

'Ik heb trouwens op het moment ook iets vreemds bij het tankstation', gaat de Jonge verder. 'Al drie keer geeft op dezelfde tijd en op dezelfde plaats achter ons tankstation een scooter er de brui aan. Soms zijn er twee knullen bij. Ook een keer één. Ik heb de politie maar ingelicht.'

'Kon je niet zien wie het waren, pa? Of zijn het geen bekenden?'

'Nee, ze hebben steeds een helm op. Dus dat valt dan niet mee, hè?'

Timo zit stil te luisteren. 'Hoe zag die scooter er uit?' vraagt hij.

'Daar heb ik eigenlijk niet opgelet. We hebben ze ook alleen maar op de bewakingscamera gezien en dat is in zwart-wit. Je zou het aan Rachid moeten vragen. Je weet wel, die jongen waar ik het zojuist over had. Die heeft het trouwens ontdekt.'

Timo neemt zich voor dat inderdaad eens te doen, als hij de kans heeft. Hij kent wel wat scooters van jongens uit de buurt.

'Wat vervelend toch allemaal', mengt opa zich in het gesprek.

Het is even stil als Judith met een schaal met lekkere hapjes de kamer in komt.

De Jonge kijkt op zijn horloge. 'Ik moet nog even naar De Tramdijk.' Hij staat op en draait zich om naar Timo. 'Jij kent wel wat scooters hier uit de buurt, hè? Ga je soms mee? Misschien kan Rachid je iets vertellen over die scooter.'

'Ik heb ook wel zin om mee te gaan', zegt Rob. 'Dan pakken we mijn auto.' En tegen De Jonge: 'Rijdt u ook eens in een echte auto.'

De Jonge kijkt Rob aan en grinnikt maar eens.

'Dan ga ik ook mee!' roept Daan.

Ze lopen alle vier via de voordeur naar buiten.

Als Rob even later de Groene Kruisweg op draait, merkt De Jonge op: 'Rijdt goed, zeg, dit autootje.'

'Mag ook wel voor dat geld!' antwoordt Rob.

Op het parkeerplaatsje achter het tankstation stappen ze uit. De Jonge loopt voorop en wenkt de rest. 'Kom maar mee naar binnen.'

'Zo! Hebt u al persoonsbeveiliging aangenomen?' lacht Rachid als de vier binnenstappen.

'Ja, dat moest er nog bij komen ook', bromt de Jonge. 'Zeg, Rachid, ik heb een expert bij me op het gebied van scooters die hier in de buurt rondrijden. Weet jij nog hoe die scooter eruit zag, die je via de bewakingscamera hebt gezien?'

Rachid trekt zijn wenkbrauwen op. 'Daar vraagt u me wat! Ik heb hem vanzelf alleen in zwart-wit gezien. Het was in ieder geval een donkere en er zaten twee lichte strepen op de kuip.'

Timo kijkt Rob aan. Hij ziet aan zijn grote broer dat die hetzelfde denkt als hij.

Rob knikt naar Timo alsof hij zeggen wil: Had ik het niet gedacht!

'Liepen die strepen van voren beneden op de kuip schuin omhoog naar achter tot vlak onder het zadel?' vraagt Timo.

Rachid denkt even na. 'Ja, nou je 't zegt, ik geloof het wel.'

'En ik geloof dat jij het dan wel weet, Timo!' komt De Jonge ertussen.

Timo kijkt weer naar zijn broer. 'Ik denk dat we het allebei wel weten', zegt Rob. 'Het zou me niet verbazen als dat onze bandenprikker is geweest!'

'Je bedoelt die jongen waar jij het mee aan de stok hebt gehad?' vraagt De Jonge aan Rob. 'Weten jullie wie dat is?'

'Hij heet Amir, maar z'n achternaam ken ik niet. Maar goed, we kunnen niets bewijzen. Laat ik dat er toch maar bij zeggen. Het is dus niet zeker dat we met dezelfde te doen hebben.'

'Maar dan weet ik, denk ik, ook wie het is!' klinkt het van achter de kassa. Rachid komt overeind. Zijn donkere gezicht wordt nog donkerder. Hij windt zich duidelijk op.

De Jonge ziet het en loopt naar hem toe. Hij heeft meteen door waarom Rachid zo nijdig is. 'Rustig, kerel. Ik weet dat jij daar een gloeiende hekel aan hebt. Die Amir is zeker ook van Marokkaanse afkomst. Maar daar kun jij niets aan doen. Trek het je niet aan. Er zijn genoeg Hollandse jongens die hetzelfde flikken. Bovendien, hij heeft nog niets gedaan. Dus eigenlijk hebben we nog niets om ons erg druk over te maken. Toch?'

'Klopt!' zegt Rob. 'Ik kan dat van mijn autobanden ook alleen maar vermoeden. Maar dat geval in de Edah was anders.'

Rachid kijkt stil voor zich uit. Het is wel duidelijk dat hij het zich aantrekt.

'We zullen de zaak gaan afsluiten, want we moeten weer terug naar de verjaardag van m'n schoondochter en jullie zus.' De Jonge knikt met een glimlach naar Timo en Rob. Hij loopt naar het magazijntje en doet daar alvast wat lichten uit.

Rachid zoekt zijn tas op en sluit de kassacomputer af.

De Jonge komt weer terug. 'Nou, Rachid, je hebt morgen vrij, is het niet?'

'Ja, ik hoop er woensdag weer te zijn.'

'Prima, jongen. Tot dan ... en hou je haaks!'

Als Rachid langs Timo loopt, zegt hij: 'Als je wilt, kom dan woensdag maar eens kijken. Misschien dat je het dan zeker weet wie het is, als hij weer komt tenminste.'

'Is goed!' Timo vindt het stiekem toch wel een beetje stoer dat hij zo bij het geval betrokken wordt.

Rachid loopt de deur uit naar zijn BMW. Als alle lichten, op een klein lampje na uit zijn, schakelt De Jonge het alarm in en loopt met de anderen naar de auto van Rob.

Bij het Rivièra-bad rijdt een zwarte scooter met twee personen langzaam langs de fietsenstalling. Hij stopt bij de bromfietsen en de scooters die er staan geparkeerd. Een van de berijders stapt af. 'Kwart voor tien ben ik er weer', klinkt het uit de helm van de voorste. De scooter rijdt weg. De andere zet zijn helm af. Het is Johnny. Hij scharrelt tussen de scooters en bromfietsen en loopt dan langs de receptie naar het restaurant. Hij pakt een blikje cola uit een automaat en gaat bij het raam zitten.

Rob rijdt weer over de brug en keert bij de eerste verkeers-lichten. Net voorbij De Tramdijk slaat hij bij de verkeerslichten rechtsaf de Rozenlaan in. Bij de eerste weg die ze linksaf slaan, komt hen een scooter tegemoet.

Timo gaat rechtop zitten. 'Hé! Kijk nou ... Volgens mij, volgens mij komt-ie daar aan!'

'Meen je dat nou echt?' zegt De Jonge. 'Hé Rob, kun je die gast niet even narijden?' vraagt hij, als de scooter is gepasseerd. 'Ik wil wel eens weten waar die knul woont.'

Zonder iets te zeggen draait Rob zijn Audi en rijdt weer naar de kruising. Het verkeerslicht staat op rood.

De zwarte scooter, met inderdaad twee gele strepen, moet ook wachten. De berijder kijkt achterom naar de Audi. Maar dan geeft hij ineens gas. De inzittenden van de Audi zien zijn hoofd snel naar links en naar rechts draaien. Zonder het groe-ne licht af te wachten spuit hij de kruising over.

'Moet je dat nou zien!' buldert De Jonge 'Wat een haast ineens!'

'Hij kan deze auto wel eens hebben herkend', zegt Rob.

Het licht springt op groen, en Rob trapt het gaspedaal flink in. Ze vliegen de kruising over. In de verte zien ze de scooter nog rijden. 'Ik hoop dat ze hier nu geen snelheid controleren', merkt Rob op.

De scooter komt weer dichterbij. De inzittenden houden zich stevig vast. Als ze vlak achter de scooter rijden, staat de kilometerteller nog op 75.

'Dat brommertje loopt stevig door', zegt Daan.

Ineens slaat de scooter rechtsaf. Rob kan maar ternauwernood volgen. Volgens Daan gaat hij richting De Hoek.

'Ik hoop dat ik 'm daar nog kan volgen', zegt Rob. 'Er zijn daar zoveel zijweggetjes.'

De jongen op de scooter heeft beslist in de gaten dat hij wordt gevolgd. Af en toe kijkt hij achterom. Bij de eerstvolgende grote kruising slaat hij linksaf. Het is een drukke weg, en hij schiet tussen twee auto's door.

'Hij gaat dus niet naar De Hoek. Ik kan hier niet zo snel afslaan. Kijk eens wat een rij auto's eraan komt.' Zodra er een gaatje is, piept Rob ertussen. Zijn banden gieren als hij de Hekelingseweg oprijdt. 'Ik wou dat die tuttebellen hiervoor wat doorreden', zit Rob zich hardop te verbijten.

Een eindje verder slaan enkele auto's af en wordt de stoet nog meer vertraagd. Voorbij de afslag rijden er nog drie voor hen. Rob zit dicht op de bumper van de achterste. Dan zijn er even geen tegenliggers. Opnieuw trapt Rob het gaspedaal in. De Audi sprint de drie voertuigen voorbij. De scooter is in geen velden of wegen meer te zien.

Er komt een bocht en een driesprong. 'Hier zullen we een gokje moeten doen', zegt Rob tegen De Jonge.

'Volgens mij woont-ie ergens in De Akkers', zegt Timo.

'Dan ga ik hier rechtsaf', besluit Rob.

Er volgt een recht stuk weg waar de Audi weer even flink door kan. Een eindje verderop draait Rob rechtsaf de Heemraadlaan op. Maar er is nog steeds geen scooter te zien.

'Ik ben bang dat we hem kwijt zijn', meent De Jonge. 'We zul...'

'Daar komt-ie weer!' roept Timo. Opnieuw komen ze de scooter tegen.

'Dan moet hij door het Sterrenkwartier zijn gereden.' Rob kijkt in zijn spiegel. De scooter is alweer voorbij.

'Zie je wel!' roept Timo die achterstevoren op de achterbank zit. 'Hij slaat af naar De Akkers!'

Er is op dat moment geen verkeer in de buurt. Rob remt hard en keert de auto. Met een huilende motor rijdt hij naar de zijstraat waar de scooter zojuist is ingereden. Die kan hier op de smallere en bochtige wegen ook niet zo hard meer. Er lopen hier wat mensen. Bovendien staan er veel geparkeerde auto's. Het kost Rob moeite om zonder brokken te maken de scooter in het oog te houden. Links, rechts, gas geven, remmen, weer links. De straat wordt nog smaller. Ze zitten niet ver meer achter de scooter. Weer links. Hier staan de auto's aan twee kanten geparkeerd en het is er zó smal dat Rob er stapvoets tussendoor moet om geen spiegels te raken. Hij houdt maar enkele centimeters over.

Rob drukt het gaspedaal weer flink in. De scooter is al een stuk verder. Dan moet Rob uit alle macht remmen. De banden janken. 'We kunnen hier niet verder', zegt hij beteuterd. 'Hij heeft ons mooi te pakken!' Vlak voor de neus van de Audi staat een dikke, ronde betonnen paal. Daarachter is de weg niet breder meer dan een fietspad. De scooter is verdwenen.

'Ik denk dat we maar weer naar de verjaardag gaan', zegt Daan. 'Anders weten ze niet waar we blijven, en ik heb wel zin in een lekker koud pilsje. Jullie niet?'

Een kwartiertje later wordt in huis bij Daan en Judith de achtervolging in geuren en kleuren verteld. Iedereen luistert aandachtig. Het wordt het gesprek van de avond.

10.

Een brutale diefstal

In het restaurant van het Rivièra-bad zit Johnny nog steeds bij het raam. Hij kijkt op zijn horloge. Het is vijf voor tien. Amir is er nog niet. Vreemd! Amir is altijd op tijd. Johnny weet intussen wat hij weten moet. Om half tien is er een groepje jongens in het restaurant gekomen. Het zijn echte wedstrijdzwemmers die hier een paar avonden in de week komen trainen. Nadat ze allemaal wat hadden gedronken, zijn ze naar buiten gegaan. 'Tot morgen!' hoorde hij ze nog roepen. Bij de rijwielstalling stonden ze nog wat te praten, maar een voor een zijn ze toch vertrokken. Sommigen op een fiets, maar ook een paar op scooters.

Johnny was benieuwd naar de blauwe AEROX. Precies wat hij al had gedacht. De scooter scheurde er met een flinke vaart vandoor. Behoorlijk opgevoerd. Dat moest hem worden.

Hij kijkt nog eens op zijn horloge. Dan schiet hem nog iets te binnen. Da's waar ook! Bijna was hij iets vergeten. Hij staat op en loopt naar een prikbord aan de muur naast de uitgang van het restaurant. Daar hangt de lijst met het weekprogramma van de wedstrijdzwemmers. Hij laat zijn ogen over het papier glijden. Mm ... dinsdag.

Dan klinken er een paar pieptonen. Een sms-je. Hij pakt zijn mobieltje en kijkt verwonderd op het scherm.

'Kn j daar ff niet hale. Kom vast lope. Snel. Amir.'

Johnny haalt zijn schouders op. Hij stapt toch maar naar buiten en loopt naar de kruising van de Groenekruisweg.

Bij de winkels komt Amir aanrijden. Hij draait om en stopt vlak bij Johnny. 'Spring vlug achterop. Vertel je zo bij jullie huis alles wel.' De jongens scheuren er vandoor.

Als ze vlak bij Johnny's ouderlijk huis zijn gestopt, begint Johnny te vragen. Hij is nu toch wel razend benieuwd wat er met Amir is gebeurd. 'Waarom ben je niet naar het Rivièra-bad gekomen, zoals we hebben afgesproken? Ben ik niet gewend van je!'

'Ik neem voorlopig liever geen risico meer. Ze hebben me achterna gezeten!'

'Wat! Pliesie?'

'Nee, zeg, maak het nog erger. 't Was m'n vriendje met die Audi. Misschien dat-ie wel iets vermoedt van z'n bandjes. In elk geval moet-ie me aan de scooter hebben herkend. Aan m'n gezicht kan niet, want ik had m'n helm op. Hij had een auto vol maatjes bij zich. Maar ik heb hem wel mooi laten rijden. Had je moeten zien. Hij zat bijna op een betonnen paal. Lachen man! Maar eh, je begrijpt dat ik me voorlopig niet te veel op m'n scooter laat zien. Nou ja, nog een paar weekjes, Johnny, en ik heb 'm niet meer nodig. Dan kun jij ook met m'n BMW meerijden. Wat ik je eigenlijk wilde zeggen: hou je een beetje gedeisd. We kunnen voorlopig niet teveel aandacht gebruiken. Je weet maar nooit. Enne ... vrijdag dat wordt niks. Gaat veel te lang duren.' Amir kijkt Johnny strak aan. 'Woensdag. Oké? Kunnen we morgen nog even een andere scooter regelen. Let maar eens op!'

Dinsdagmorgen vroeg rijdt Timo weer op de fiets naar zijn broer. Ze zullen vandaag weer verder gaan met aflakken. Timo rijdt achterlangs en parkeert zijn karretje binnen de poort bij Rob.

Het is nog maar zeven uur, maar Rob is al wakker. De deur van de bijkeuken staat open.

'Hé, broertje, ben je d'r ook al weer!' roept Rob die juist naar buiten komt. "t Is nog steeds prachtig weer. We zullen er vandaag eens een hoop onder smeren. Maar eh, wat dacht je van eerst een koppie thee? Ik heb net gezet.'

'Ja, lekker.' Timo ploft op een tuinstoel.

Even later komt Rob terug met twee dampende koppen en voor ieder een dikke plak ontbijtkoek. 'Zo, we beginnen met schaft. Alleen met een gevulde maag kun je werken.'

Er komen twee kleuren op het houtwerk. Gebroken wit en steenrood. Rob verft de openslaande ramen en de deur rood, terwijl Timo met gebroken wit de rest onderhanden neemt. Het is een precies werkje.

'Wel netjes doen, hè broertje!' zegt Rob. 'We hebben tot en met donderdag de tijd.'

Dan gaat binnen de telefoon. Rob zet zijn verfpot op de grond, met de kwast erop, en rent naar de kamer. Het duurt niet lang of hij komt weer naar buiten. 'Ik mocht wel zeggen dat we tot en met donderdag de tijd hebben. Thomas belde of ik morgen wilde vliegen. Er is een piloot ziek.'

'Toch niet Gepco?' wil Timo weten.

'Nee, Marco, maar die ken jij waarschijnlijk niet. Of nog niet als collega.' Hij geeft zijn broer een knipoog. 'Maar goed, we hebben nog tijd genoeg. Het moet makkelijk lukken.'

Timo is wel een beetje jaloers op zijn broer. In gedachten is hij steeds bezig met zijn toekomstige vak. Maar dat duurt nog zo lang. Nu ja, het is niet anders en hopelijk mag hij nog eens mee.

'Je zou zeker morgen wel weer mee willen, hè?' vraagt Rob.

'Kun je wel raden', antwoordt Timo.

'Nou, nou, valt niet erg mee, is het niet?'

Timo grijnst. Hij trekt de kwast weer langzaam, maar met een vaste hand over een glaslat van het raam van de achterdeur. Hij heeft nog met niemand anders dan Rob en Thomas over zijn plannen gepraat. Hij neemt zich voor om het er binnenkort ook eens met opa over te hebben. Die zal er geen moeite mee hebben. Toen Rob ging vliegen, heeft hij daar nooit iets van gemerkt. Opa en oma waren altijd geïnteresseerd in het werk van Rob.

Timo ziet zichzelf weer op de pilotenstoel met de eh ... collective en de cyclic in zijn handen. Ja, die namen zal hij niet meer vergeten. In gedachten trekt hij de collective iets op. De heli komt los van de grond.

'Zeg, broertje, ga je de ruiten blinderen of zo? Je zit er helemaal naast!'

Timo schrikt. Zijn kwast is lelijk uitgeschoten. Hij pakt een doek en wrijft de ruit schoon.

Zwijgend en ingespannen gaan ze verder met hun werk. Timo zorgt er wel voor dat hij er nu zijn hoofd goed bij houdt.

Na een poosje roept Rob: 'Koffietijd!' Hij legt zijn kwast neer en loopt naar binnen. Timo is net aan het achterkamerraam begonnen en gaat nog even door. Rob komt terug met een dienblad met koffie en een paar lekkere koeken.

'Rob, wat eh, hoe ging dat met jou? Ik bedoel, hoe heb je opa verteld dat je piloot wilde worden? Of eigenlijk, wat vond-ie ervan?'

Rob moet weer glimlachen als hij merkt hoe serieus zijn broertje met zijn toekomst bezig is. 'Nou, dat is al een poosje geleden, hoor. Ik heb 't hem gewoon verteld. Ik weet nog wel wat-ie toen zei: "Wat? Piloot? Nou ja, als je dat graag wilt, moet je daar maar goed je best voor gaan doen." Opa is niet zo moeilijk. Oma vond het wel een beetje eng, geloof ik. Maar goed, ze hebben me geholpen waar ze konden. Dat zal met jou ook wel zo gaan. Komt wel goed, joh.'

Een poosje later staan ze weer met een kwast en een pot verf in hun handen.

Tussen de middag heeft Rob een verrassing. 'Gisteren hebben we warm gegeten bij opa en oma. Voor vandaag heb ik gisteravond iets in de winkel gehaald wat jij graag lust. Spekpannenkoeken! We doen het weer lekker gemakkelijk vandaag. Ik zal ze alvast in de magnetron doen. Kunnen we zo eten.'

Na de maaltijd waarbij Timo een stuk of acht pannenkoeken naar binnen werkt, gaan ze weer verder. Hij heeft ze dit keer niet koud laten worden.

Halverwege de middag is de hele achterkant van het huis afgelakt.

'Nou, het komt eigenlijk wel goed uit dat we morgen niet verder gaan', zegt Rob. 'Nu kan alles lekker drogen, want ik moet het rood nog wel een keertje doen. Het heeft niet helemaal gedekt. Kom, we ruimen alles op en dan gaan we nog even naar de fotograaf in De Akkershof. Ik heb een digitale camera uit de folders op het oog.'

Bij het Rivièra-bad rijdt de zwarte scooter met aan beide zijden twee gele strepen erop. Hij rijdt langzaam en stopt bij de fietsenstalling. Amir en Johnny stappen af.

Amir geeft de scooter in handen van Johnny. Ze houden hun helmen op. 'Zie je die blauwe Aerox? Dat is 'm. Rij jij maar een eindje weg. Ik kom je zo na. Alleen als ze me in de smiezen hebben, moet je me snel oppikken. Begrepen?'

Johnny doet wat Amir hem zegt. Hij is nog lang geen zestien, maar met die helm op is dat toch niet te zien. Langzaam rijdt hij met de scooter van Amir een stukje weg. Af en toe kijkt hij achterom. Hij ziet Amir bij de blauwe scooter bukken. Dan stopt hij en draait de scooter zo dat hij snel zowel links als rechts kan wegrijden.

Amir heeft intussen een sleuteltje uit zijn broekzak gepakt. Er is aan alle kanten aan geslepen. Hij kijkt schichtig naar de ingang van het zwembad waar de kassa is. Maar er is niemand te zien. Zenuwachtig peutert hij verder in het kabelslot. Er klinkt wat gebrom uit de helm. Opeens springt het slot open. Hij draait het los van de spaken en de paal van de fietsenstalling. Hij staat een paar tellen naar het slot te kijken, maar stopt het dan in zijn broekzak. Nu het stuurslot nog.

Er komt iemand naar de kassa. Johnny kan hem vanuit zijn positie niet zien. De man loopt flink te sloffen op zijn teenslippers. Maar door zijn helm hoort Amir niets. Pas als de man vlakbij de kassa loopt, merkt Amir hem op. De man kijkt recht voor zich uit. Een lichte paniek maakt zich van Amir meester. Toch weet hij zich te beheersen. Als hij nu opstaat en wegrent, zal die beweging zeker de aandacht trekken. Maar blijven zitten is ook riskant. Toch besluit hij voor het laatste. Hij duikt behoedzaam nog iets verder in elkaar en blijft muisstil zitten. De man stopt voor de halve ruit van de kassa. Hij steekt een arm onder de ruit door en pakt een stapeltje papieren.

Johnny kan de man nu ook zien. Hij schrikt geweldig. Hij wil naar Amir rijden, maar ziet nog net op tijd dat die als een hurkend standbeeld in elkaar is gedoken. Als hij nu naar Amir scheurt, zal de man zeker achterom kijken. Dan is Amir er gloeiend bij.

De man bekijkt het stapeltje papieren en draait zich om naar de fietsenstalling. Gelukkig vragen de papieren meer aandacht dan de rest om hem heen. Hij loopt door zonder Amir te zien.

Johnny doet het vizier van zijn helm omhoog en wrijft zo goed en zo kwaad als dat gaat langs zijn gezicht. Hij zweet van de spanning en nu begint zijn huid overal te kriebelen. Hij ziet dat Amir overeind is gekomen en met een sleuteltje in het contactslot peutert. Met zijn vrije hand wringt hij aan het stuur. Opeens lijkt ook het stuurslot eraf te springen. Dan bedenkt Amir zich geen seconde meer. Hij trekt de scooter van de standaard en gaat erop zitten. De motor slaat direct aan en meteen zoeft hij weg. Als hij Johnny voorbijrijdt, sluit die zich bij hem aan. Even later zijn ze uit het gezicht verdwenen.

11.

Amir en Johnny houden zich gedeisd

Timo verveelt zich een beetje. De afgelopen dagen heeft hij zich uitstekend vermaakt bij zijn broer, maar natuurlijk ook op Lifeliner 2-station. Het is nog steeds erg warm, benauwd zelfs. Vanmorgen is hij al weer vroeg wakker geworden. Hij kon het vanwege de hitte niet meer in bed uithouden. Nadat hij met opa en oma koffie heeft gedronken, wil hij toch maar iets gaan doen.

'Ik ga even een eindje fietsen.'

'Waar ga je heen? Hou je het weer in de gaten? Ze geven vandaag kans op een onweersbui.' Oma is altijd overbezorgd.

'Oh, ik denk dat ik even langs Robs huis fiets en daarna zie ik nog wel. Tot straks.'

'Ben je voor het eten weer thuis?' roept ze hem door de openstaande achterdeur nog na.

'Joehoe!'

Als hij vlak bij het huis van Rob is, denkt hij: eigenlijk een beetje onzin om hier naartoe te fietsen. Rob is toch niet thuis. Maar wat dan? Hij rijdt doelloos terug.

Opeens schiet hem iets te binnen. Ja, dat is wel leuk. Even bij De Tramdijk gaan kijken. Hij had het eigenlijk een beetje beloofd. Rachid moet vandaag werken. Timo trapt weer stevig op de pedalen. Tien minuten later rijdt hij op de weg achter het tankstation. Er staat een Suzuki, in plaats van een BMW voor de shop.

'Zou Rachid vanmiddag moeten werken, of heeft hij een

andere auto bij zich?'

Timo ziet dat er niemand achter de kassa zit. Er zijn ook geen klanten. Hij zet zijn fiets naast de Suzuki en doet hem op slot. Kalm loopt hij naar binnen. Daar komt zojuist iemand uit het magazijntje lopen. Timo kent hem niet.

'Goeiemorgen.'

'Hallo, is Rachid er niet?'

'Nee, die heeft vanmiddag dienst. Moet je hem hebben?'

'Nou eigenlijk niet per se, maar eh, ik kwam even bij hem kijken. Ik kom nog wel een keer terug.'

Timo wil weer naar buiten lopen als een bekende stem achter hem zijn naam roept. Het is De Jonge. 'Hé Timo, wat hoor ik, kwam je bij Rachid op visite? Pech, jongen. Hij komt vanmiddag pas. Maar nu je toch hier bent, zou je een boodschap voor me willen doen?' Timo knikt.

De Jonge legt uit waar het om gaat. 'Ik ben door m'n voorraad automaatbekertjes heen. Er zijn wel nieuwe besteld, maar die komen pas morgen. Kun jij er niet bij een of andere supermarkt wat op de kop tikken?' 'Oké, ik ga wel even naar de Edah.'

'Prima! Hier heb je geld.' De Jonge duwt Timo een briefje van tien euro in de hand.

Nu rijdt hij toch weer het dorp in. Maar goed, hij heeft wel iets te doen.

Bij de Edah staat weer een groep jongens en meiden. Daar heeft Timo even niet aan gedacht. Als die Amir er maar niet bij is, denkt hij. Die zou hem wel eens kunnen herkennen van toen bij die sigarettendiefstal. En nu is Rob er niet bij. Zo vlug mogelijk glipt hij langs het groepje. Ondertussen houdt hij hen wel scherp in de gaten. Amir is er niet bij.

Binnen zoekt Timo snel de bekers op en rekent af. Dan loopt hij weer naar de uitgang. Door de grote ruit aan de voorkant ziet hij tot zijn grote schrik dat Amir nu wel bij de groep staat. Heeft hij hem zojuist over het hoofd gezien, of is Amir erbij gekomen toen hij in de winkel was? Maakt niet uit. Hij moet nu weer langs het groepje heen en daar is hij niet echt blij mee.

Weer loopt hij vlug, maar ook zo ongeïnteresseerd mogelijk langs de jongens en meiden. Enkelen kijken naar hem. Hij ziet Amir ook kijken. Het zweet breekt hem uit, maar hij doet zijn uiterste best om zijn gezicht in de plooi te houden. Hij voelt hun ogen in zijn rug prikken. Het is nu wat stiller in de groep. Hij hoort alleen wat gefluister. Maar er gebeurt verder niets. Timo stapt op zijn fiets en rijdt weg. Voorbij de eerste bocht zet hij er de vaart in.

Amir en Johnny staan naast elkaar. Ze kijken elkaar aan en denken hetzelfde. Nu geen keet maken. Zorgen dat we niet te veel aandacht krijgen. We houden ons gedeisd.

Melissa staat ook vlak bij Amir. 'Moet je dat gastje niet even een lesje leren?' vraagt ze uitdagend.

Amir zegt niets en draait zich om. Hij steekt een hand in zijn broekzak en haalt er een kabelslot uit. Hij bekijkt het van alle kanten en staat er even nadenkend mee in zijn handen. Naast de Edah staat een vuilcontainer. Amir loopt er naartoe. Maar als hij vlakbij is, bedenkt hij zich en loopt weer terug.

Johnny kijkt hem verwonderd aan.

'Dat ding komt misschien nog wel van pas', fluistert Amir. 'Kom, we gaan.'

Wat later staat Timo weer in de shop van het tankstation. Het zweet staat op zijn voorhoofd. Hij heeft een beetje te hard gefietst met dit benauwde weer. Hij legt de bekertjes in het magazijn en geeft de rest van het geld aan De Jonge.

'Prima, dat heb je gauw gedaan. Hier, pak aan. Voor de moeite.' De Jonge geeft hem een paar euro's.

Timo kijkt op zijn horloge en ziet dat het al tegen twaalven loopt. 'Ik ga maar weer naar huis. Het is etenstijd. Misschien dat ik vanmiddag nog wel langskom als Rachid er is', zegt hij.

'Je kijkt maar joh. Hij is er vanaf twee uur.'

Als Timo naar buiten stapt, ziet hij onweerswolken hoog in de lucht. Er zal wel een bui komen. Maar de zon schijnt nu nog volop.

Onder het fietsen denkt Timo aan Amir. Misschien dat die scooter weer op komt dagen. Hij wil weten of het echt die van Amir is. Wat zou zo'n gast daar iedere keer moeten? Eigenlijk ontmoet Timo hem liever niet. Maar bij De Tramdijk is hij niet alleen en bovendien zal hij hem alleen via de monitor zien.

Timo spitst zijn oren. Hoorde hij dat goed? Het leek wel of er al iets rommelde in de lucht. Kan ook de wind in zijn oren zijn. Als hij even later de fiets tegen de schuur achter het huis zet, hoort hij het weer. Zie je wel, het rommelt opnieuw.

Het is rustig op het Lifeliner 2-station. De pager van Rob die deze keer samenwerkt met Petra en Albert, is nog maar één keer afgegaan. Een cancel. Helaas heeft de inmiddels bij Hank aanwezige ambulance de oproep moeten afzeggen, omdat het slachtoffer al was overleden. Ze zijn boven Werkendam omgedraaid.

Even na de middag lopen Rob en Albert naar buiten. Het is er erg broeierig.

'Ik verwacht nog wel een buitje vandaag', zegt Rob.

'Daar ziet het in ieder geval wel naar uit', antwoordt Albert en wijst omhoog. 'Moet je die koppen aan de lucht zien!'

'Ja, ik zal zo de meteo nog eens vragen of ze ons meer kunnen vertellen.' Ze lopen weer naar binnen.

Voordat Rob iets over het weer kan opvragen, gaat zijn pager af. Meteen rent hij naar buiten. Binnen drie minuten hangen ze in de lucht.

'Bergen op Zoom!' zegt Petra via de boordradio. 'Een fietser door de bliksem getroffen!'

'Ai, daar heb je het al!' antwoordt Albert.

Bij de stalling onder het huizenblok waar Amir woont, staat Johnny met een helm in zijn hand. Hij kijkt ongeduldig op zijn horloge.

Ineens pakt iemand hem bij zijn schouder. Vliegensvlug draait Johnny zich om en wil met een vuist uithalen. Maar dan ziet hij wie hem weer te pakken heeft.

Amir grijnst breed. 'Niet zo zenuwachtig, John!'

Johnny zegt maar niets. Hij heeft inderdaad best last van zenuwen, maar dat wil hij niet laten merken. Die Amir altijd met zijn stom gedoe! Hij ergert zich daar flink aan. Maar hij voelt dat zijn oudere vriend hem volkomen vertrouwt en is daar best trots op. Ik zal me niet laten kennen, neemt hij zich nog eens voor. Hij weet een grijns op zijn gezicht te toveren. Daarmee krijgt hij zijn zelfvertrouwen weer een beetje terug. 'Zullen we?' Hij wil met zijn helm Amir een duw net onder zijn ribben geven.

Maar Amir weet hem handig te ontwijken en pakt Johnny bij zijn haar. Meteen laat hij weer los en kijkt met een vies gezicht naar zijn hand. 'Bllwèè! Dat haar van jou lijkt wel beton, man. Het staat stijf van de gel!'

'Moet je d'r maar afblijven', kaatst Johnny terug.

Amir loopt grinnikend naar de stalling. Johnny loopt hem achterna. Het is een donker en muffig hok. Er staan twee scooters en een paar fietsen.

'Hebben ze bij jullie niet gevraagd waar die ene scooter vandaan komt?' vraagt Johnny.

'M'n vader en moeder komen bijna nooit in dit hok en m'n broertje en zusjes weten wel dat ze nergens naar moeten vragen. Kwestie van africhten, John!'

Amir haalt een sleutelbos uit zijn broekzak en opent een grijze kast. 'M'n privé-kluis, snap je?'

Hij pakt twee zwarte mutsen van de bovenste plank. Achter de mutsen ligt nog iets in een krant gewikkeld. Ook dit pakje haalt hij eruit.

Amir rolt twee pistolen uit de krant en geeft er een aan Johnny. 'Hier pak aan. Ik heb je al eerder uitgelegd hoe het werkt.' Johnny knikt.

Amir gooit een muts in de richting van Johnny. 'Opdoen onder je helm. Heb je in ieder geval geen last van kou.' Hij kijkt hem veelbetekenend aan.

'Zullen we toch niet hebben, denk ik zo.'

Buiten klinkt gerommel. 'Wat is dat?' vraagt Amir.

'Oh, onweer, denk ik. Toen ik hiernaartoe liep, was de lucht in het zuiden aardig zwart.'

'Nou, een bui kunnen we straks niet gebruiken.'

De Lifeliner 2-heli komt in de buurt van Bergen op Zoom. Ook hier hangt nog een zware bui. Rob stuurt de heli er met een ruime boog omheen. 'Daar ga ik liever niet doorheen. Jammer voor de patiënt, maar dat risico mogen we niet nemen.'

'Heb je de plaats van het ongeval al?' vraagt Albert aan Petra.

'Ja, aan de westkant van Bergen op Zoom.'

'Komt goed uit', zegt Rob via de boordradio. 'Door die bui naderen we vanuit het westen.'

Een paar minuten later ontdekt Albert de plaats van het ongeval. 'Ik zie daar een hoop mensen, ook een politieauto en een ambulance.' Hij wijst recht vooruit.

'Dat zal wel eens kunnen kloppen, als ik de plattegrond bekijk', meldt Petra vanaf de achterste stoel.

Rob laat de heli zakken. Hij ziet de mensen omhoog kijken. Een politieagent maakt zich los uit de menigte. Hij wijst waar Rob de heli midden op de weg kan neerzetten.

'Nou, 't is niet erg breed hier', mompelt Rob. ''t Zal niet veel meer zijn dan de voorgeschreven 25 meter.'

'Voor een goede piloot toch geen probleem?' zegt Albert.

Geconcentreerd zet Rob het toestel op het asfalt.

Petra en Albert zijn in een mum van tijd bij het slachtoffer. De man is buiten bewustzijn. De twee ambulancebroeders hebben al een infuus met vocht ingebracht.

'Voer het vocht maar flink op', zegt Petra. 'Dat heeft hij nu hard nodig.' Een van de broeders volgt haar advies meteen op.

'Ik moet een drain inbrengen, want deze man heeft een klaplong', gaat Petra verder. 'Het gevaar van een hartstilstand is dan aanwezig. Ik breng hem eerst onder narcose.'

'D'r is niks aan 'm te zien!' horen ze iemand tussen de omstanders roepen.

Petra doet alsof ze hem niet hoort. Ze kijkt Albert terloops aan. 'Van binnen is er wel het een en ander loos', zegt ze zacht.

De broeders knikken instemmend. 'Laat die vent z'n domme praat voor zich houden', zegt een van hen rustig.

Even later tillen ze het slachtoffer voorzichtig op een brancard. Hij is intussen met een aantal slangen en draadjes aan allerlei apparatuur verbonden.

'Hij is voor jullie', zegt Petra, als de man in de ambulance ligt.

'Oké, we brengen hem als een speer weg.' De chauffeur rent om de ambulance heen en start. Met loeiende sirene rijdt de wagen weg.

Petra en Albert pakken hun rugtassen op en lopen naar de heli. Rob staat hen al op te wachten. 'Ik heb zojuist bericht gehad van de meteo dat er ten zuiden van Rotterdam een fikse onweersbui actief is. We moeten zo gauw mogelijk weg. We bekijken onderweg wel hoe we het beste kunnen vliegen.'

'Oké, laten we gaan!' zegt Albert.

12.

De overval

Even na half drie fietst Timo weer naar het tankstation. Het onweert opnieuw een beetje, maar het ziet ernaar uit dat ze de bui niet echt over zich heen krijgen. De hitte drukt wel enorm. Het is veel te benauwd om stevig door te trappen.

Na een paar minuten zet hij zijn fiets voor de shop van het tankstation en doet hem op slot. Ha, nu is Rachid er wel. Hij loopt naar binnen.

Rachid herkent hem meteen. 'Hallo, ben je daar? Het is warm hè?'

Timo wrijft met de rug van zijn hand langs zijn voorhoofd. 'Zeg dat wel. Hier binnen is het beter.'

'Ja, wat wil je, de airco draait op volle toeren. Wat doet die bui? Ik hoor het af en toe een beetje onweren, maar kan het van hieruit niet zo goed zien.'

'Nou, ik denk niet dat we er veel van krijgen. Volgens mij trekt hij naar het zuiden.'

Er komt een klant binnen om af te rekenen.

Als de man vertrokken is, zegt Timo: 'Zeker wel lekker met dit weer, zo'n cabrio.' Hij knikt naar de blauwe BMW die voor de shop staat.

'Nou en of! Maar daarom houd ik die bui een beetje in de gaten. Stel voor dat 't gaat regenen, dan verandert m'n auto daar, aan de zijkant van de overkapping, zo in een badkuip. Als het een beetje doorregent, slaat het water er onder door.'

Timo lacht. 'Ik zal er wel op letten', zegt hij en loopt naar het raam. 'Wacht, ik zal je m'n sleutel geven. Dan kun je de kap elektrisch sluiten als het hard gaat regenen. Je moet dan instappen, het contact aanzetten en op een knop rechts van het stuur drukken. Er staat een plaatje van de kap op. Kan niet missen.'

Rachid graait in zijn broekzak en geeft Timo een sleutelbos.

Timo is maar wat trots dat hij deze opdracht krijgt. Eigenlijk hoopt hij nu dat het gaat regenen.

Een fiks aantal kilometers naar het zuidoosten vliegt een gele helikopter. De inzittenden zien dat er ten zuiden van Rotterdam een flinke bui hangt.

'Ik ga weer een stukkie om', zegt Rob via de boordradio. In de verte zien ze vurige bliksemschichten naar de aarde flitsen.

'Moet je zien, joh', zegt Albert. 'Blijf daar inderdaad maar uit de buurt.'

Rob kijkt op de brandstofmeter. 'Mmm, moet nog wel kunnen, al vliegen we een eindje om. Maar ik moet straks wel eerst weer kerosine tanken.'.

Een minuut of tien later zet Rob de heli op het platform neer.

'Ik zal wel even bestellen voor de heli', zegt Albert als hij uitstapt. 'Ons trouwe beestje heeft bij dit weer ook dorst gekregen.'

Rob stapt uit en controleert eerst nog een paar dingen. De vrachtwagen met brandstof is er snel en niet lang daarna is de tank van de heli weer voldoende gevuld. Klaar om te vertrekken als dat nodig is.

In de stalling trekt Amir de gestolen scooter van de standaard. De zwarte met de gele strepen blijft staan. Johnny staat erbij. Ze hebben hun helmen al opgezet. Daaronder hebben ze ook de bivakmutsen over hun hoofd getrokken. Deze laten alleen hun mond en ogen vrij. Het is wel erg warm met zo'n wollen ding op je hoofd, maar Johnny wil er beslist niet over klagen. Als het goed is, duurt het maar even.

'Heb je jouw pistool goed opgeborgen?' klinkt het gedempt uit de helm van Amir.

Johnny knikt.

Amir laat zijn pistool even zien en steekt hem terug in zijn broekzak.

'Verlies 'm ook maar niet?' zegt Johnny.

'Nee hoor, diepe zakken.' Uit zijn andere broekzak haalt hij een kettingslot. 'Weet je nog? Zat gratis bij de scooter!'

'Wat moet je daar nu mee?' vraagt Johnny.

''t Zou best nog wel eens kunnen dat we er een paar moeten opsluiten. Misschien komt-ie dan van pas. Je weet maar nooit.' Amir tikt met zijn wijsvinger tegen de zijkant van zijn helm. 'Daar is over nagedacht, John!'

Johnny moet toegeven dat Amir niet op z'n achterhoofd is gevallen.

Ze duwen de scooter naar buiten.

'Kom, we moeten gaan, anders is die geldauto al geweest en is alle moeite voor niks.' Amir drukt op een knopje naast het handvat. De scooter slaat moeiteloos aan. Dan racen ze weg.

Een grote druppel spat op het vizier van Amirs helm uiteen. Er klinkt een gedempte verwensing. Ook Johnny voelt een druppel op zijn arm. Hij kijkt naar de lucht en schrikt. Een blauwpaarse slang schiet onder de wolken vandaan recht naar beneden. Ondanks de rijwind en het geluid van de scooter hoort hij de onweersklap die erop volgt. Dit is niet goed voor zijn zenuwen. Hij voelt een felle steek in zijn buik.

Timo staat nog steeds op de uitkijk in de shop van De Tramdijk. Het is niet erg druk, maar regelmatig loopt er toch een klant binnen om af te rekenen. 'Vakantietijd', zegt Rachid. 'Kun je wel merken, hè?'

Timo knikt. Ziet hij dat goed? Hij drukt zijn hoofd tegen de ruit. Ja, er verschijnen een paar donkere vlekjes op de weg achter het tankstation. Hij kijkt naar de lucht. De donkere wolken hangen bijna boven hen.

'Rachid! Volgens mij gaat het regenen!'

'Je hebt de sleutel, hè? Ga de boel maar dichtdoen.'

Timo loopt meteen weg. Hij graait in zijn broekzak naar de sleutel. Hè, er blijft iets vastzitten. Hij let even niet goed op en botst tegen een binnenkomende klant.

'Hola, wat een haast, zeg! Blijf hier maar een poosje schuilen. Je komt toch niet meer droog weg.'

Timo kijkt de man verbaasd aan. 'Oh, sorry. Maar eh, ik ga nog niet weg. Alleen even die auto dichtdoen.' Hij wijst naar de blauwe BMW.

'Oké, jongen, dan is het goed. Ik dacht al.'

Timo ziet dat Rachid achter de kassa zit te lachen. Nu moet hij er zelf ook wel om grinniken. Hij staat al naast de BMW, steekt de sleutel in het slot en draait hem om. Maar de deur wil niet open. Hij draait de sleutel nog eens om, maar er zit geen beweging in. Hij kijkt naar het raam waarachter Rachid zit te schuddebuiken. Hij roept iets. Timo ziet aan de beweging van zijn mond dat hij iets zegt wat op 'open' lijkt. Opeens snapt hij het. Nu de kap van de auto omlaag is, heeft het natuurlijk geen nut om de auto af te sluiten.

Met een rood hoofd draait Timo de BMW weer van het slot en stapt in. Hij steekt de sleutel in het contact en draait hem voorzichtig een stukje om. Dan springen er opeens een paar lampjes op het dashboard aan. Hij zoekt naar de knop die de kap moet sluiten. Ah, dat moet hem zijn! Hij drukt er voorzichtig op. Even is het stil, maar dan hoort hij een zacht gezoem achter zich. Meteen wordt de lucht verlicht door een felle flits. Timo schrikt en duikt in elkaar. Hij kijkt achterom en ziet dat de kap langzaam omhoog komt. Hij hoort een harde onweerslag. Er vallen steeds meer grote druppels. Mooi, net op tijd! De kap is dicht. Nu staan de zijraampjes nog open. Timo kijkt eens naar het portier, maar ziet dat er geen raamslinger op zit om de ramen te sluiten. Wel ziet hij een paar knoppen. Wacht, het moeten elektrisch bediende ramen zijn, net als in de Audi van Rob. Voorzichtig probeert hij een knop en ziet dat het rechter raam omhoog schuift. Nu het linker nog. Als alles dicht is, draait hij de contactsleutel terug en blijft nog even zitten. Toch wel een mooi wagentje! Hij pakt het stuur en zet zijn rechtervoet op het gaspedaal. Zijn rechterhand legt hij op de versnellingspook. Net echt.

Weer wordt de omgeving verlicht door een paarse gloed. Snel volgt een harde onweersklap. Ai, dat is niet zo ver weg.

Er racet een scooter met twee personen erop langs het tankstation. Meteen schiet het door Timo heen: zou dat die Amir zijn? Maar het was geen scooter met gele strepen.

Het regent nu pijpenstelen. Ook gaat het ineens hard waaien. Timo zit lekker droog en waant zich in het drukke verkeer met zijn eigen auto. Het water slaat hier aan de zijkant onder de overkapping van het tankstation door op de voorruit van de BMW. Maar goed dat de kap nu dicht is. Eigenlijk zou hij de ruitenwissers moeten aanzetten, want hij ziet niet zoveel meer. Hij besluit dat toch maar niet te doen. Een beetje brutaal om overal aan te zitten, denkt hij. Hij probeert door de natte voorruit iets van de shop te zien. Tot zijn ergernis gaat de ruit nu ook nog beslaan. Hij kijkt opzij en ziet dat de man waar hij zojuist tegenaan botste, wegrijdt.

Links om de hoek komen twee personen aanrennen. Ze hebben hun helm nog op. Die komen zeker ook schuilen, denkt Timo. Lastig dat hij niet goed naar buiten kan kijken. Als hij de aanjager nu eens aanzet? Dan wordt de ruit in ieder geval van binnen schoongeblazen. Hij draait de contactsleutel voorzichtig een stukje om. Op een grote draaiknop staan een paar cijfers. Die moet hij hebben. Hij draait en ja hoor, er begint iets te blazen. Wacht, nu het raam aan de bestuurderskant nog een stukje omlaag, dan is alles zo weer schoon.

Onderaan wordt de ruit al helder. Hij kan weer een beetje naar de shop kijken, al is het beeld wat vertroebeld door het water dat er aan de buitenkant over stroomt.

Hij ziet de twee helmen bij de kassa. Maar wat is dat nu? Wat raar. Het lijkt wel of Rachid zijn armen omhoog houdt. Timo probeert nog beter te kijken. Durfde hij nu maar de ruitenwisser aan te zetten! Maar wat zou Rachid daarvan zeggen? Dan ziet hij dat een van de mannen met iets staat te zwaaien.

Timo schrikt geweldig. Dit lijkt ... dit lijkt wel een ... overval. Hij laat zich onderuitzakken en zet de aanjager uit. Het ding maakt zo'n herrie. Ze zullen het binnen toch niet horen? Intussen schieten allerlei gedachten door zijn hoofd. Die scooter die hij zo-even zag met twee mensen erop, twee mensen nu binnen ... Zou dat ... Het kan haast niet anders.

13.

Het loopt uit de hand

Voor de kassa staat Amir wild te zwaaien met een pistool. 'Het geld! En snel, anders!' dreigt hij.

Johnny staat naast hem ook met een pistool in zijn hand. Ze hebben hun helmen afgezet, maar zijn door de bivakmutsen niet te herkennen. 'Nou, komt er nog wat van?'

Rachid laat langzaam een hand zakken om de kassa te openen.

'Denk erom, geen geintjes. Je weet wat ik hiermee kan!' Hij richt nog eens extra dreigend op Rachids hoofd. Ondanks zijn donkere huid ziet Rachid bleek.

Zoals afgesproken, glipt Johnny achter de kassa, terwijl Amir zijn pistool gericht houdt. De kassa staat nu open.

'Omhoog weer met die hand!' commandeert Amir.

Johnny graait snel al het papiergeld uit de kassa. Hij loopt terug naar Amir. Die kijkt vlug naar het bundeltje.

'De rest! De rest!' krijst hij. 'Er is meer! Je houdt me niet voor de gek. De geldauto is nog niet geweest.'

Op dat moment komt er iemand via de achterdeur naar binnen. Amir doet een stap terug en kijkt geschrokken opzij naar het magazijntje. De man die is binnengekomen, heeft nog geen aandacht voor wat er zich bij de kassa afspeelt. Hij is wat aan het noteren.

Amir kijkt Johnny aan. 'Achter de deur', sist hij. Zelf loopt hij naar Rachid die nog steeds zijn armen omhoog houdt. 'Is dat je baas?' bijt hij hem half fluisterend toe.

'Denk het', antwoordt Rachid kortaf.

'Roep hem', beveelt Amir. 'Alleen roepen.' Hij drukt het pistool in Rachids zij.

Rachid moet een keer slikken. 'Meneer De Jonge, kunt u even komen?'

'Kom d'r an', klinkt het in het magazijntje. Er naderen voetstappen. Amir en Johnny kijken naar de magazijndeur en doen een stap terug.

Rachids armen zakken iets omlaag. Langzaam komt hij van zijn kruk overeind en zwaait die omhoog. Alsof hij iets voelde, draait Amir plotseling zijn hoofd om. Rachid probeert opzij te springen. Er klinkt een schot.

Timo heeft de auto van De Jonge langs de shop zien rijden. Die zal wel aan de achterkant parkeren, denkt hij. Tussen het stuur door en het streepje onbeslagen ruit kan hij een beetje in de shop gluren. Zijn eerste schrik is wat weggezakt. Maar wat nu? Zo meteen zal De Jonge naar binnenlopen en wat dan. Hij moet iets doen. Hij moet hier proberen weg te komen en De Jonge waarschuwen. Maar hoe? Hij kijkt om zich heen en besluit om stilletjes aan de rechterkant uit te stappen. Nog eens kijkt hij naar de shop. De kans is niet groot dat ze dat van binnenuit zien. Hij wringt zich op de passagiersstoel, zonder dat zijn hoofd boven het dashboard uitsteekt. Hij is bang dat ze hem in de auto zullen ontdekken. Wat zal er dan gebeuren? Voordat hij de deurklink beetpakt, trekt hij vlug de sleutel uit het contact en propt die in zijn broekzak. Heel voorzichtig opent hij het portier. De regen is even snel gestopt als hij begon. Nog eens loert hij naar de shop. Het lijkt erop dat ze hem niet in de gaten hebben. Dan zit hij op zijn hurken naast de BMW en drukt het portier zachtjes dicht.

Gebukt sluipt hij naar de weg achter het tankstation. Hier is hij van binnenuit niet meer te zien. Hij kijkt om zich heen en ziet achter de shop de Mercedes van De Jonge staan. Maar De Jonge is al binnen. Te laat! Er staat ook nog een scooter. Dat moet de scooter van die boeven zijn. Hij staat er even naar te kijken. Dan komt er een gewaagd plan in hem op. Zal hij dat doen? Maar dan wel meteen. Iedere seconde telt. Met een paar stappen is hij achter de shop. Er is verder niets te zien. Hij loopt naar de scooter en bukt zich. Hij drukt een vinger op het ventiel. Met een luid gesis ontsnapt de lucht. Hij schrikt ervan en laat het nippeltje los. Dan laat hij nog meer lucht ontsnappen. De voorband zakt als een pudding in elkaar. De scooter wankelt en Timo moet hem beetpakken voordat hij omduikelt. Door het stuur te draaien blijft hij weer staan. Dan ziet hij dat de sleutels er nog op zitten. Die lui willen zo meteen zeker snel weg. Nou, dat zal niet meer meevallen. Hij moet nu maken dat hij zelf weg komt, voordat ze naar buiten komen. Hij rent de weg over. Aan de andere kant loopt de berm naar beneden. Hijgend staat hij stil. Hij twijfelt wat hij zal doen. Hij voelt zich op die plaats niet prettig.

Dan klinkt er een knal. Timo kijkt verschrikt om. Hij heeft het al een poosje niet meer horen onweren. Dit was ook iets anders. Het leek wel een pistoolschot.

Als die boeven nu bij hun scooter komen, zullen ze hem zien. Er ligt nog een weg iets lager dan de Tramdijk. Daar staat een vrachtauto geparkeerd. Hij rent ernaartoe. Ja, daar gaat hij achter zitten. Als hij er op zijn hurken zit en weer wat op adem komt, gaan zijn gedachten koortsachtig verder. Hij moet iets doen. Hij voelt in zijn zakken. Zijn telefoon. Hij kan nog bellen. 112. Niet zo moeilijk. Ai, nog maar één blokje. Bijna leeg. Er is snel verbinding en met een gejaagde stem legt hij de situatie uit.

'We komen er direct aan', zegt een vrouwenstem.

'En volgens mij hoorde ik een schot', voegt hij er nog aan toe.

'Blijf uit de buurt. We zijn zo bij je. Ik heb je telefoonnummer. Daarop kan ik je bereiken?'

'Ik hoop het, want m'n batterij is bijna leeg.'

In de shop zit Rachid verdwaasd op de grond. Hij heeft een enorme dreun tegen zijn schouder gekregen. Hij voelt aan zijn schouder en voelt tot zijn grote schrik dat er bloed aan zijn hand plakt. Langzaam begint er een naar gevoel te ontstaan in zijn schouder en dringt het tot hem door dat hij geraakt is. Hij wordt misselijk.

'Dat had je niet moeten doen, idioot', snauwt Amir tegen Rachid.

De Jonge staat onbeweeglijk met z'n rug tegen enkele schappen. Hij is niet in staat iets uit te brengen.

Ook Johnny is geschrokken. Hij herstelt zich meteen als hij Amir ziet.

Er komt een ijzige blik in de ogen van Amir.

'Als hij nog langer bij je moet werken, doe je nu precies wat ik zeg.' Amir kijkt De Jonge aan en houdt het pistool weer op Rachids gericht. Rachid is helemaal onderuitgezakt en ligt bleek en stil op de grond.

'De rest van het geld. En vlug een beetje. Ik ben niet van plan hier nog lang te blijven!'

'In het magazijn', antwoordt De Jonge.

'Oké, pak het en geef het aan hem.' Amir knikt naar Johnny. Hij loopt nu een eindje bij Rachid vandaan om zo De Jonge in de gaten te kunnen houden. Gespannen loopt De Jonge naar achter en doet een kast open. Daar staat een metalen box waar hij het gevraagde papiergeld uit neemt. Hij geeft het zwijgend aan Johnny. Johnny kijkt om zich heen. Ha, daar ligt een plastic tas. Die kan ik wel gebruiken, denkt hij. Hij stopt het papiergeld erin samen met de bundel uit de kassa.

Amir heeft intussen een volgend plan gemaakt. 'Meekomen!' beveelt hij De Jonge. 'In het toilet. Vlug!'

Als de man in de kleine ruimte staat, doet Amir de deur dicht. Hij haalt het kabelslot uit zijn zak. 'Zie je, John, hoe het nu van pas komt?'

Hij draait de kabel om de klink. Vervolgens probeert hij het andere einde om een verwarmingspijp te trekken. Het lukt net. 'Kom, John, we gaan er snel van tussen, voordat er weer klanten komen. Ik denk dat de achterdeur open is. Dat komt goed uit.'

Johnny loopt zwijgend voor hem uit naar buiten maar staat ineens stokstijf stil. 'Hé, kijk nou ... de voorband!'

'Ook dat nog', bromt Amir. Weer klinkt een verwensing.

Johnny heeft een idee. 'We pakken die blauwe BMW van Yasseens broer!'

Amir draait zich om en gaat meteen weer naar binnen. Johnny volgt hem op de voet.

'De sleutels', mompelt Amir. 'Z'n jas!' In het magazijntje

hangt niets aan de kapstok.

'Nee, natuurlijk niet. Wie draagt er met dit weer nou een jas', schampert Johnny.

Amir zegt niets en loopt vanuit het magazijn weer naar de shop. Daar ligt Rachid nog in dezelfde houding. Zijn witte shirt vertoont een rode plek en hij lijkt buiten bewustzijn.

Amir voelt in de broekzak van Rachid, maar vindt geen autosleutel.

Misschien bij de kassa, denkt hij en loopt naar de voorkant van de shop.

Dan schrikt hij geweldig. Er komen twee politieauto's met zwaailichten recht op het tankstation af. 'John, politie!' schreeuwt Amir vanuit de shop.

'Waaat?' klinkt het vanuit het magazijn. Zonder na te denken, richt hij het pistool op de ruit van de shop. Er klinkt een daverende knal. Een stuk van de grote ruit vliegt aan splinters uiteen. De agenten die net uitstappen duiken in elkaar en kruipen snel achter hun auto.

Amir is razend. 'We moeten hier weg!' Zenuwachtig bijt hij op de nagel van zijn duim en spuwt een kauwgom weg. Johnny kijkt hem even afwachtend aan.

Dan is Amir met een paar stappen bij de achterdeur en gluurt naar buiten.

In de verte ziet hij vanaf de brug ook een politieauto aan komen racen. Het zweet breekt hem uit. Hij kijkt naar Johnny en zegt: 'Kom, we laten ons niet pakken!' Gebukt rennen ze naar buiten en kruipen tussen twee van de aanhangers die er staan.

Zo kan de aanstormende politieauto hen niet zien. Alhoewel

... als ze voorbijrijden, zullen ze hen toch nog opmerken. Amir kijkt om zich heen. Wat nu? Als ze van deze plaats weg rennen, zullen de agenten aan de voorkant hen zien.

Hij voelt aan het zeil van een van de aanhangers. Het zit niet vast. Hij trekt het een stukje omhoog en probeert eronder te kruipen. Maar hij heeft de beugel die tien centimeter boven de borden uitsteekt over het hoofd gezien. In de haast schiet zijn hand er onderdoor terwijl de rest van zijn lichaam naar binnen valt. Hij voelt een kraak in zijn pols, gevolgd door een enorme pijnscheut. Hij kan zich net bedwingen om geen gil te geven. Johnny zit ook al in de aanhanger en kijkt Amir bezorgd aan. 'Wat doe je nu?'

'Ik bleef met m'n hand onder die beugel haken', jammert hij.

Johnny kijkt even door een kier in het zeil. Hopelijk hebben ze vanuit de politieauto niets gezien.

In het tankstation is het stil. De Jonge staat in het toilet te luisteren. Hij heeft al even niets meer gehoord. Het lijkt wel of ze zijn vertrokken. Hij wacht nog een moment. Als hij nog steeds niets hoort, zet hij zich schrap. Met grof geweld geeft hij een trap tegen de deur. Maar er gebeurt niets.

Hij probeert het nog een paar keer. Opeens zwaait de deur open en knalt tegen de wand. De aluminium klink is afgeknapt en daarmee is het kabelslot losgesloten. De Jonge schrikt er zelf van. Hij steekt voorzichtig zijn hoofd naar buiten. Ze zijn gevlogen.

14.

De heli wordt gekaapt

Timo heeft gezien hoe de twee met bivakmutsen naar buiten kwamen en bijna tegelijkertijd weer naar binnen gingen. Niet lang daarna kwamen ze opnieuw naar buiten en kropen ze tot Timo's stomme verbazing in een aanhangwagen. Hij begrijpt er niets van, maar hij durft ook niet van z'n plaats te komen. Belde die vrouw van 112 nu maar. Wacht, hij kan toch zelf ook bellen, als z'n batterij nu niet leeg is.

Snel pakt hij z'n mobieltje weer uit zijn broekzak en toets de drie nummers in.

Hij houdt het toestel aan zijn oor en kijkt ondertussen onder de aanhanger door richting het tankstation.

Piep piep klinkt het in zijn oor. Hij kijkt op het display. O nee hè, geen blokjes meer. Leeg!

In de shop zit De Jonge op zijn knieën naast Rachid. De gewonde kreunt zacht en lijkt niet helemaal bij zijn bewustzijn. De Jonge komt overeind en kijkt rond.

Nu pas ziet hij de politieauto's die op enige afstand van het tankstation staan. De agenten verschuilen zich erachter.

Waarom komen ze nu niet? Hij begint te zwaaien. Maar de politiemensen blijven op hun plaats. Ineens begrijpt hij het. Ze kunnen niet weten wat er hier binnen allemaal is voorgevallen en houden hem mogelijk voor een van de overvallers.

Er zit niets anders op dan dat hij met zijn handen omhoog naar buiten komt. Er moet snel hulp komen voor Rachid.

Een beetje aarzelend loopt hij naar de uitgang en steekt zijn armen omhoog. Er ligt een hoop glas op de grond.

Voorzichtig gaat hij naar buiten en loopt richting de politieauto's.

Hij ziet dat er rondom de shop een stuk of vier staan. Hij loopt langzaam naar de dichtstbijzijnde. Als hij vlakbij is, komen twee agenten omhoog. Ze houden hun wapen nog steeds op De Jonge gericht.

'Ik ben de eigenaar van het tankstation. Een van m'n personeelsleden is er slecht aan toe. Er moet onmiddellijk hulp komen. Hij heeft een schot in zijn schouder gehad. De daders zijn ervandoor. Maar help eerst Rachid alsjeblieft zo snel mogelijk.'

'Weet u echt zeker dat ze 'm gepiept zijn?'

'Ja, ik kom er toch zelf net vandaan', antwoordt De Jonge geïrriteerd. De voorste agent sommeert De Jonge dichterbij te komen en geeft een seintje naar achter. Er komen enkele politiemensen met kogelvrije vesten omhoog die met een wapen in de aanslag in een wijde boog naar het tankstation rennen en wel zo dat ze vanuit de shop niet zichtbaar zijn.

Onder dekking van zijn collega's loopt een van hen voorzichtig naar binnen en kijkt snel om zich heen. Dan loopt hij verder. Daar ligt Rachid. Hij ziet de deur naar het magazijn open staan en loopt ernaartoe. Als hij daar ook niets ontdekt, kijkt hij door de geopende achterdeur naar buiten.

Intussen zijn de collega's van de politieman ook binnengekomen. Een van hen heeft zich over Rachid ontfermd en maakt via zijn portofoon contact met de wachtenden buiten.

'Waarschuw onmiddellijk CPA Rijnmond. Gewonde met schotwond.'

'Walter, geef meteen door dat de kust veilig is, verdachten zijn 'm inderdaad gepiept. Waarschijnlijk via de achterkant en te voet. Laat onmiddellijk de omgeving af zoeken', zegt een andere politieman.

Op het Lifeliner 2-station grijpen Rob, Petra en Albert naar hun pagers.

'Hé, thuiswedstrijd, Robbie!' roept Petra, terwijl ze op het schermpje kijkt en naar de telefoon snelt. Rob rent al naar de heli. Binnen de kortste keren hangen ze in de lucht.

''t Is de Tramdijk', meldt Petra via de intercom. 'Die hoef ik zeker niet op de kaart op te zoeken? Schietpartij met gewonde overigens.'

'Ja, die weet ik zo wel te vinden. Maar eh ... wat je daar zegt, stelt mij niet zo gerust. Ik weet dat m'n broertje vandaag naar de Tramdijk zou gaan', antwoordt Rob.

'Oh, dat wist ik niet', klinkt het in de speakers.

Het is maar een paar minuten vliegen. Als ze nog voor de A15 zijn, komt Robs woonplaats al in zicht. 'Het is vlak bij de brug daar recht voor ons', wijst Rob. 'Het lijkt erop dat het verkeer langs het tankstation stilgelegd is. O ja, dat had ik jullie nog niet gezegd: 'De Tramdijk' is ook de naam van een tankstation.' Rob zegt verder niets. Hij wil nu zijn aandacht bij de landing houden.

Er staan enkele politieauto's en een ambulance op enige afstand van het tankstation.

Timo heeft vanuit zijn schuilplaats van de hele actie niets kunnen zien, omdat hij aan de andere kant van het tankstation zit.

Opeens hoort hij een gebrom dichterbij komen. Onmiddellijk herkent hij het rustige geluid van de Eurocopter.

Dat moet Rob zijn, gaat door hem heen. Hij kan vanachter de vrachtauto niet zien waar het geluid vandaan komt.

Het wordt steeds sterker. Het lijkt of hij vlakbij gaat landen. Voorzichtig loert hij om de truck heen en ziet opeens de gele helikopter vlak boven de weg langs het tankstation. De heli vliegt laag voor het tankstation langs, zodat Timo hem niet meer ziet.

Waarom zou Rob hier komen? denkt Timo. Dan moet er een ernstig gewonde zijn. Hij heeft schoten gehoord. Zou ... zou ... Hij wil er eigenlijk niet aan denken. Hij moet hier weg maar durft niet. Als hij wegloopt, zullen ze hem misschien zien vanuit de huuraanhanger achter het tankstation. Hij durft het niet. Moedeloos kruipt hij weer achter de truck.

In de aanhanger hebben Amir en Johnny door een kier in het zeil alles gezien.

De achterdeur van het tankstation staat nog open. Ze hebben gezien dat De Jonge zich heeft bevrijd. Dat de politiemensen in het magazijn zijn geweest. Ook hebben ze de heli vlakbij horen landen. Johnny kruipt voorzichtig naar de andere kant van de aanhanger. Door een andere kier ziet hij daar ook politie staan. Ze kunnen geen kant uit. Er komen steeds meer politieagenten. Ze lopen om het tankstation heen. Ze zullen hen vast zoeken. Hij kruipt weer terug.

Er komen een politieman met twee ambulancebroeders en twee mensen van de traumahelikopter om de hoek. Ze hebben een verrijdbare brancard bij zich. Johnny stoot Amir tegen zijn gekwetste arm. Hij kan zich amper inhouden als opnieuw een felle pijnscheut door zijn arm vlamt. 'Sorry', mompelt Johnny. Hij krijgt het benauwd. Zoveel mensen zo vlakbij. Als maar niemand op het idee komt om even onder het zeil van de aanhanger te gluren.

'We nemen de achterdeur', horen ze de agent zeggen. 'Er ligt een hoop glas bij de ingang van de shop.'

Behendig draait het ambulancepersoneel de brancard naar binnen. Even later is er niemand meer bij de achterdeur.

Johnny zucht. Ze moeten hier weg. Maar hoe? Amir komt weer overeind en loert ook naar buiten. Hij houdt zijn gekwetste arm vast. Deze begint lelijk te zwellen. Hadden ze het zoeven toch maar gewaagd om meteen weg te rennen. Nu komen ze zeker niet meer weg zonder te worden gezien.

Ineens krijgt hij een idee. Hij voelt met zijn goede hand in zijn broekzak. Daar zit nog steeds het pistool. Zacht fluistert Amir iets in Johnny's oor. Johnny knikt.

Het duurt even voordat de brancard weer naar buiten komt. Alleen een ambulancebroeder en twee mensen uit de heli zijn er nu bij. De arts heeft een infuuszak in haar hand, die verbonden is met de arm van Rachid.

Johnny zet zich schrap. Met een hand pakt hij het zeil van de oplegger beet. Hij wacht een moment totdat alledrie met de rug naar hem toe staan. Dan veert hij op en springt uit de aanhanger. In een fractie van een seconde staat hij naast de arts. Petra schrikt zich een bult. En voor ze er goed en wel erg in heeft, voelt ze een pistool tegen haar hoofd.

'Snel! Meekomen en jij ook', gebiedt Johnny met een hese stem. Amir staat ook al naast hem. Petra beseft dat ze geen

110

enkele keus heeft en geeft de zak met vocht aan de ambulance-broeder, die met stomheid geslagen is. Haar rugtas houdt ze bij zich. Het pistool is gevaarlijk dicht bij het hoofd van Petra.

'Jij blijft hier!' snauwt Amir tegen de broeder en duwt vervolgens Petra voor zich uit. Johnny loopt nu naast Albert.

Met z'n vieren begeven ze zich naar de wegkant van het tankstation.

Juist komen er twee politiemensen om de hoek. Deze hebben ogenblikkelijk in de gaten wat er gaande is.

'Allebei staan blijven. Geen beweging, of ze gaat eraan!' brult Amir.

Petra laat niets merken, maar heeft het behoorlijk benauwd. Ook Albert staat onbeweeglijk. Zullen de agenten gehoorzamen?

'Lopen!' commandeert Amir.

Met z'n vieren lopen ze richting de helikopter.

De helikopter is dwars op de weg geland en de rechter schuifdeur staat open. Rob staat ernaast. Hij schrikt zich een aap, maar heeft ook meteen door wat er gebeurt. De pistolen spreken voor zich.

Albert en Petra kijken bezorgd naar de politieauto's. De agenten hebben zich erachter opgesteld. Ze lopen langzaam verder.

'Wie is hier piloot?' snauwt Amir als ze naast de heli staan. Rob steekt voorzichtig een vinger op. 'Oké, dan ga jij naar de overkant van de weg', zegt Amir tegen Albert. Aarzelend voldoet hij aan deze eis en loopt langzaam weg. Hij kijkt nog één keer om.

'John, jij gaat naast de piloot. Ik ga met haar achterin.'

Johnny stapt via de rechter voordeur naar binnen en gaat

op de stoel zitten. Dan ziet hij de stuurknuppel voor zich en begrijpt dat dit de stoel van de piloot is. Daarom kruipt hij over de schermpjes en knopjes tussen de twee stoelen naar de linker stoel. Rob gaat naast hem zitten en zet zijn helm op. Achter hen is ook Petra ingestapt. Amir dwingt haar op de brancard te gaan zitten. Zelf wil hij op haar stoel gaan zitten. Maar dat valt met één arm en een pistool in de aanslag niet mee. Daarbij stoot zijn gekwetste arm tegen de voorstoel. Er klinkt een korte gil.

Petra kijkt verschrikt naar Amir. Maar hij herstelt zich snel en op dezelfde snauwerige toon gaat hij verder: 'Ik moet iets hebben voor m'n arm. Ik word gek van de pijn. Jullie hebben vast wel iets bij je. Maar vlieg eerst naar het westen. De rest zal ik daarna wel vertellen.'

Rob checkt nog even een paar dingen. Even later beginnen de motoren en de rotorbladen te draaien.

Timo heeft nu vanuit zijn schuilplaats gezien hoe twee mensen van het traumateam zijn gegijzeld.

Als ze om de hoek zijn verdwenen en hij de helikopter even later hoort opstarten houdt hij het niet meer uit. Hij rent over de lager gelegen weg langs het tankstation. Bij de voorkant ziet hij de politieauto's, de ambulance en de helikopter met draaiende rotor staan.

Hij blijft stokstijf staan. Zit Rob daar? Hij kan het niet zien want de piloot heeft zijn helm op. Een van de politiemensen heeft Timo ook opgemerkt en komt snel naar hem toe.

'Zeg jongeman, wat doe jij hier. Maak snel dat je wegkomt!'
'Maar meneer, ik .... daar ...'

'Vooruit, je mag hier helemaal niet zijn.'

'Meneer, m'n b... broer', hakkelt Timo en wijst naar de heli.

'Je broer? Die is hier niet. Maak dat je wegkomt.'

'M'n broer is piloot ... en ik was in de shop', zegt Timo. Hij is behoorlijk overstuur.

De politieman kijkt hem nu verbaasd aan.

'Oh ... kom eens even mee.' Hij pakt Timo bij zijn schouder. Samen lopen ze over de lager gelegen weg en komen achter de politieauto's uit.

Achteraan staat een busje. De politieman doet de schuifdeur open en zegt tegen Timo dat hij moet instappen.

De politieman en Timo gaan tegenover elkaar zitten. Tussen hen in is een tafeltje aan de zijwand bevestigd. Hier vandaan kan Timo de helikopter precies zien. De politieman stelt zich voor als brigadier De Graaf en vraagt Timo naar zijn naam. Voordat hij verder gaat, maakt hij eerst via de mobilofoon contact met het bureau. 'Brigadier De Graaf hier. Ik meld even dat ik iemand hier bij me in de bus heb zitten die mogelijk meer kan vertellen. U hoort zo meer van me.'

Dan richt de brigadier zich weer naar Timo. 'Zo jongen, je zult even moeten wachten, want daar buiten is behoorlijk wat loos, heb je wel gezien.'

'Maar mijn broer ...' begint Timo weer. De politieman onderbreekt hem. 'Begrijp ik het goed dat de piloot van die traumahelikopter jouw broer is?'

Timo knikt en ziet door het raam dat de helikopter loskomt.

Als de heli opgestegen en uit het gezicht verdwenen is, komen de politiemensen onmiddellijk weer in beweging.

113

Door een speaker in de bus hoort Timo een heleboel stemmen met verschillende meldingen.

Brigadier De Graaf heeft een schrijfblok op het tafeltje gelegd.

'Ik zal eerst even een paar dingen van je moeten weten. Ik maak straks wel een volledig proces-verbaal.'

'Maar ... ik heb toch niets verkeerd gedaan?' stamelt Timo.

'Nee, maak je niet ongerust. Wij noemen een rapport over een getuige, zoals jij, alleen maar zo. Ik weet al dat de piloot jouw broer is, maar ik heb het idee dat jij al hier was voordat de helikopter landde. Klopt dat?'

Timo knikt.

'Wat was daarvan de reden?'

Met horten en stoten begint Timo zijn verhaal.

Halverwege onderbreekt de brigadier hem. 'Wacht even, we kunnen dus vaststellen dat het gaat om twee overvallers met bivakmutsen op en dat ze vrijwel zeker beiden een pistool bij zich hadden. Verder waren er nog twee mensen aanwezig in de shop? En je weet zeker dat er niet meer waren?' zegt de brigadier.

Timo vertelt wat hij weet. Maar telkens moet hij aan Rob denken. De brigadier merkt wel dat hij nogal ongerust is en zegt: 'We zullen het zo wel over je broer hebben maar eerst moest ik een paar andere dingen van je weten die erg belangrijk zijn voor ons.'

15.

Een prikje met vreemde gevolgen

De helikopter is nog maar net opgestegen als Amir nieuwe bevelen geeft. Hij buigt zich naar voren. 'Vlieg over de havens naar Hoek van Holland!' schreeuwt Amir. Hij probeert boven het motorgeluid uit te komen. Rob kan hem met de helm op z'n hoofd niet goed verstaan. Hij moet zijn aandacht ook bij het vliegen houden. Petra heeft het wel gehoord en geeft via de intercom Amirs bevel door.

Johnny kijkt achterom naar Amir. Hij heeft geen helm op en heeft Amir wel verstaan. Hoek van Holland? denkt hij. Waarom Hoek van Holland? Hij kan het niet vragen. Er is te veel lawaai in de heli. Bovendien is het niet zo slim om dat te vragen waar die anderen bij zijn. Na een minuut of zes komt het plaatsje al in zicht. Schuin onder hen zien ze een grote catamaran. Het is een van de grote schepen van Stena-line die een veerdienst naar Engeland onderhoudt. Het gevaarte is juist aan het aanmeren. Amir zal toch niet naar Engeland willen, vraagt Johnny zich af.

'Voorbij dat haventje is een grasveld om te landen. Zeg tegen hem dat hij daar landt', snauwt Amir tegen Petra en wijst naar Rob.

Via de intercom geeft Petra de bevelen door.

'Ik moet eerst zien of dat wel kan', roept Rob terug.

Petra geeft dat op haar beurt weer door aan Amir. 'Niks mee te maken, je doet wat ik zeg. Dat kan best.' Amir drukt het pistool in Robs nek.

'Oké oké, ik doe m'n best, maar laat hem dat wapen uit m'n nek halen, als hij niet wil verongelukken!' hoort Petra via de speakertjes in haar helm. Ze geeft het weer door.

Amir laat zich terugzakken. Het zweet stroomt met straaltjes onder zijn bivakmuts uit. Toch wil hij die niet afdoen.

Johnny zit zwijgend naast Rob. Hij houdt nog steeds de plastic tas vastgeklemd. Hij voelt zich naar. Het is ook zo spannend. Of zou het komen van het vliegen?

Terwijl Rob probeert te ontdekken of het gras inderdaad een geschikte plaats is om de heli aan de grond te zetten, draait hij het toestel in een scherpe bocht naar beneden. Johnny voelt dat zijn maag begint te draaien.

Rob heeft met een schuin oog gezien hoe Johnny wit wegtrekt en draait nog wat scherper en steiler. Johnny's ogen die vanuit de bivakmuts wild in het rond kijken, worden steeds groter. Hij grijpt naar zijn buik. Rob trekt de heli weer wat vlakker, maar deze beweging doet niet veel goed aan de inhoud van Johnny's maag.

'Hou die plastic zak voor je mond!' brult Rob zo hard hij kan.

Johnny voelt zich nu zo ellendig dat hij alleen maar kan gehoorzamen. Rob heeft geen seconde te vroeg geroepen. Want het volgende moment vult Johnny de plastic tas, waar de buit in zit, met iets anders. Hij schokt een paar keer met zijn schouders. Dan kijkt hij met ongelukkige ogen boven de zak uit. Hij wrijft over zijn mond die net zichtbaar is door een opening in de bivakmuts.

Schuw kijkt Johnny achterom naar Amir. Die heeft met afgrijzen Johnny's moeilijke momenten gadegeslagen. Maar hij is niet in staat om er iets aan te veranderen.

De helikopter hangt intussen vlak boven de grond. Er komt weer wat meer beweging in Amir, die de laatste minuut als een standbeeld op de stoel van Petra heeft gezeten. Met een lichte schok raakt de heli de grond. Dat is even te veel voor Amirs arm. Hij gilt het opnieuw uit.

'Doe wat aan die arm, mens! Ik hou 't niet meer uit!' schreeuwt hij.

'Verdoven! Je moet m'n arm verdoven!'

'Wat bedoel je?' vraagt Petra zo rustig mogelijk.

'Jullie hebben best iets bij waarmee je de pijn kunt verdoven. Schiet op!'

'Zou kunnen, maar dat mag ik je niet geven.'

'Wat! Niet geven!

'Nou nou, rustig aan maar hoor', zegt Petra zacht.

'Verdoven zul je!' brult Amir en zwaait met zijn pistool gevaarlijk dicht langs Petra's hoofd.

Ze houdt hem scherp in de gaten. 'Ik heb alleen een injectie voor je ...'

'Kan me niet schelen. Ik wil niks meer van die arm voelen', snauwt Amir. Hij is niet meer in staat normaal te praten.

Rob heeft de motoren inmiddels uitgeschakeld en met een steeds lagere fluittoon sterft het laatste geluid weg.

Johnny is al uitgestapt. Hè, nu hij weer met beide benen op de aarde staat, voelt hij zich meteen een stuk beter.

Petra opent intussen haar rugtas en haalt er een ander rood tasje uit. Ze maakt het klittenband los. Er zit een set gevulde injectiespuiten in. Ze bekijkt de opschriften en neemt er dan een uit. Amir volgt het met een vertrokken gezicht.

'Nou, geef je arm maar hier.'

Johnny loopt om de heli heen en gaat vlak bij de inmiddels geopende schuifdeur staan wachten. Hij weet nog steeds niet wat Amir van plan is. Maar dat zal wel goed komen. Amir is wat plannen maken betreft geniaal. De plastic tas met de intussen niet erg fris ruikende geldinhoud heeft hij nog steeds stevig vast.

Petra heeft de injectie klaar en drukt de naald vol vloeistof. Amir tilt zijn arm een beetje op.

'Nou komt er nog wat van!' brult hij .

Hij heeft zoveel pijn dat hij niet eens meer voelt hoe de naald zijn arm binnendringt. Hij wil nog iets zeggen, maar dan zakt zijn goede hand met het pistool naar beneden. Zijn ogen draaien weg. Opeens zakt hij op de stoel als een plumpudding in elkaar.

'Nou zeg, kun je niet eens tegen een prikkie!' roept Petra uit en houdt Johnny scherp in de gaten.

Het is een gewaagd plan. Ze heeft het kort voor de landing in een paar woorden aan Rob voorgesteld via de intercom. De twee overvallers konden het vanwege het lawaai in de heli toch niet horen.

Rob zit nog op zijn stoel maar de deurklink heeft hij al ontgrendeld om als het nodig is meteen in actie te komen.

Johnny staat aan de grond genageld. Wat doet Amir nu? Hoe kan dat? Die ijskouwe, nergens is hij bang voor en nu gaat hij door zo'n prikkie van z'n stokje.

Ineens beseft Johnny dat hij er alleen voor staat. Er maakt zich een ongekende paniek van hem meester. Hij zet het op een lopen.

Petra laat zich met een diepe zucht op de brancard zakken.

Rob kijkt achterom en haalt ook opgelucht adem.

'Je hebt 'm toch zeker niet te veel gegeven, hè?'

'Nee, precies genoeg narcose om niks meer te voelen. Daar vroeg hij toch om? Maar ach, die stoere kerels van tegenwoordig. Ze kunnen ook niks meer hebben. Gaan bij 't minste of geringste plat. Nu ja, ik kan er de gek mee steken, maar ik moet je bekennen dat ik behoorlijk in m'n rats heb gezeten.'

'Dat is ook niet vreemd als ze zo met een pistool lopen te zwaaien', merkt Rob op. 'Maar ondertussen is die andere ervandoor.'

'Ga jij hem achterna!' oppert Petra en kan er weer een beetje om lachen. 'Ben je gek', antwoordt Rob. 'Ik heb lang genoeg met een pistool in m'n nek gezeten. Ik ben blij dat we 'm kwijt zijn. Zullen we deze schone slaper maar eens op een of andere manier vastzetten voor dat hij wakker wordt.' Hij wijst naar Amir.

'En dan?' Voordat Petra verder iets kan zeggen zien ze een politieauto met hoge snelheid naderen.

'Oh ... hoeft al niet meer', zegt Rob dan. 'Kijk maar, ze komen ons al helpen.'

Even blijven de agenten in de auto zitten, maar als ze zien dat Rob en Petra vrij bij de heli lopen, stappen drie politiemannen uit de auto en komen in draf op de heli af.

Rob loopt hen tegemoet. 'We hebben er een, als jullie daar tenminste om komen. De andere is gevlucht.'

De politiemannen willen meteen weten waarheen. Rob wijst hen de richting waar Johnny is verdwenen. Er is een omheining rond het haventje. Ook staan er een paar gebouwtjes. En er liggen enkele schepen.

'Hij is dat terrein op gerend, maar verder weet ik het ook niet', zegt Rob.

Twee politiemannen rennen meteen in de aangewezen richting, terwijl de derde zich met Amir bemoeit. Ondanks dat hij nog diep onder zeil is, krijgt hij toch een paar handboeien om.

'Hij heeft waarschijnlijk z'n pols gebroken', zegt Petra.

'Oh, eh nou ja, daar voelt hij denk ik nu zo te zien toch niets van', antwoordt de politieman. 'Wat is er eigenlijk met hem gebeurd?

Petra legt uit wat ze gedaan heeft, waarop de politieman hartelijk moet lachen. Het pistool van Amir ligt nog in de heli. De politieman doet het handig in een plastic zakje zonder het aan te raken. Vervolgens geeft hij aan de meldkamer door wat hij zoal heeft aangetroffen.

Johnny heeft, net voordat hij het terreintje is op gerend, de politieauto ook zien arriveren. Hij begrijpt dat hij moet maken dat hij wegkomt. Schuw kijkt hij om zich heen. Lopend zal hij niet ver komen. Wat nu?

Dan valt zijn oog ergens op.

Snel loopt hij naar een van de boten, die daar aan een steiger liggen en stapt aan boord. Het is een wat ouder vaartuig en lijkt verlaten.

Johnny heeft zijn bivakmuts afgedaan. Het wordt hem te heet en het zal ook teveel opvallen.

Hij pakt zijn pistool en loopt naar de reling aan de andere kant. Daar dobbert een motorbootje tegen de blauwe boot.

Er staan twee mannen in met ieder een forse kwast en een pot blauwe verf. De buitenkant van de boot krijgt een nieuw laagje. De mannen kijken verwonderd op als ze Johnny zien staan. Hun ogen worden echter groot als ze zien wat hij in zijn hand heeft.

Een van de twee doet zijn mond open. 'Wat mot dat?'

'Eruit komen en snel!' klinkt het gejaagd over de reling.

'Dat gaat zomaar niet', protesteert de andere.

'Moet ik helpen?' Johnny's stem slaat over en hij steekt zijn pistool dreigend naar voren.

'Jajaa, rustig maar, we komme d'r al an', klinkt het uit het motorbootje.

Stram klauteren de mannen aan boord van hun schip.

Johnny stuurt hen weg en laat zich snel in het motorbootje zakken. Hij weet gelukkig hoe zulke motortjes werken. Samen met enkele vrienden heeft hij er wel vaker mee gevaren.

Hij pakt het korte kabeltje aan de zijkant en geeft er een ruk aan. Rrrrrrrrrrr! Nog eens ... en nog een keer. Johnny krijgt het benauwd.

Ineens slaat het motortje aan.

De twee mannen die zojuist zijn uitgestapt, staan met ver-ongelijkte gezichten op een afstandje af te wachten.

Johnny geeft gas en vaart weg van de blauwe boot.

Er komt weer beweging in de twee mannen. Hun hulpbootje stelen? Dat gaat zomaar niet. 'Zeg Dirk, as jij nou es gaat kijken of je iemand ken vinden, dan gaat ik telefoneren.'

Dirk loopt naar de andere kant van de boot en stapt het stei-ger op. Hij weet eigenlijk nog niet goed waar naartoe.

Ineens ziet hij twee politiemannen aan komen rennen.

'Asjemenou! Dat komt mooi uit zeg. Alsof jullie het geroken hebbe!' begint Dirk. 'Manus, me broer is jullie net an het belle. D'r is er eentje met onze hulpboot vandoor. Hij had nog een pistool bij zich ook. Anders hadden we ons bootje ook nooit zomaar afgestaan. Dat ken je wel begrijpe!'

Met z'n drieën stappen ze aan boord en lopen naar de andere reling.

'Kijk, daar gaat-ie. Je ken 'm nog net zien. Bij het havenhoofd. Hij gaat de bocht om!' roept Dirk opgewonden. 'Nu zit-ie achter de palen. Kennen we 'm niet meer zien. Da's jammer'

De politiemannen zien het maar kunnen op dat moment verder niets doen. De vogel is opnieuw gevlogen.

Een van de politiemannen pakt zijn mobiele telefoon. Hij drukt een paar knopjes in en houdt het apparaatje tegen zijn oor.

'Ik zal vragen of er een boot van ons in de buurt is.'

16.

Waar is Johnny gebleven?

Johnny vaart vol gas de Berghaven uit. Hij kijkt achterom. Tot zijn schrik ziet hij twee politiemensen bij de reling van de blauwe boot verschijnen.

Ai, nu valt zijn plan een beetje in duigen. Hij wil de Nieuwe Waterweg oversteken naar de Landtong van Rozenburg. Daar zullen ze hem voorlopig niet zoeken. Hij kijkt naar de overkant. Dat is zeker vier- of vijfhonderd meter ver. Als hij nu oversteekt, vaart hij een hele poos zonder dekking en is de kans groot dat hij vanuit de Berghaven wordt gezien. Hij draait de steven naar links.

Dicht langs de kant is hij beschermd tegen nieuwsgierige blikken achter hem.

Ze zullen zeker achter hem aankomen. Hij kan zich voorlopig beter verbergen.

Maar dat is makkelijker gezegd dan gedaan.

Op de 'Panter,' want zo heet de blauwe boot in de Berghaven, wordt druk overlegd.

'De dichtstbijzijnde boot van ons vaart nog voor Maassluis. Dus dat duurt nog even', zegt de politieman terwijl hij zijn telefoon opbergt. De andere wrijft bedenkelijk over zijn kin.

Dirk ziet dat de politiemannen even niet weten wat ze ermee aan moeten.

'As we nu Jan van der Sar es effe vragen?' probeert Dirk.

'Jan van der Sar? Wie is dat?'

'Dat is de schipper van de KNRM-boot die hier in de Berghaven ligt. Daarmee kun je die kerel achteran. Die boot is pas nieuw en bloedje snel.'

De politiemannen kijken elkaar eens aan. 'Da's nog niet zo gek.'

'Kom maar mee', gaat Dirk verder 'Ik hoop dat we hem kunnen vinden. Hij woont hier vlakbij.'

Met z'n drieën rennen ze naar de Stationsweg. Hij stopt voor een wit huis met een fel oranje buitendeur.

Dirk gluurt even door het raam. 'Volgens mij is-ie binnen.'

Hij bonkt op het raam. Er verschijnt een man met een vrolijk gezicht uit een ruimte achter in het gebouw. Dirk wijst naar de voordeur.

Even later staan ze oog in oog met Jan van der Sar.

'Goeiemiddag heren, jullie hadden mij nodig', veronderstelt hij.

In een paar zinnen legt Dirk de situatie uit. Jan krabt eens achter zijn oor. 'Daar vraag je me wat. Als jij ook meegaat, dan kun je de trossen losgooien. Dat kan ik in m'n eentje niet. Jij weet wat je moet doen.'

Jan kijkt naar de politiemannen. 'Niet dat jullie dat niet kunnen hoor', lacht hij. 'Maar Dirk heeft daar veel ervaring mee. Nou vooruit dan maar.'

Met z'n vieren lopen ze zo snel mogelijk naar het steiger waar de 'Jeanine Parqui' ligt te dobberen. Het is de trots van de Hoekse KNRM.

Jan trekt een gele kabel los en klautert via een metalen ladder naar beneden en stapt aan boord. De rest volgt en zodra de tweede agent voet aan boord zet, start de motor.

Dirk loopt door het gangboord naar voren. Jan laat de reddingsboot iets naar voren gaan, zodat Dirk de tros kan losmaken. Dat gebeurt op dezelfde manier achter op het schip.

Dan gaan ze naar binnen waar Jan hoog op een soort zadel achter het stuur zit. Hij geeft gas en het vaartuig zet zich achterwaarts in beweging.

Het duurt niet lang of ze varen ook de Berghaven uit.

Dirk en de twee politiemensen hebben een plaats gezocht aan weerszijden van Jan.

Dirk heeft de boordtelefoon gepakt en meldt hun vertrek bij het controlecentrum van het havengebied.

'Nou, zeg het maar. Waar willen jullie naar toe?' buldert Jan boven het lawaai van de motor uit.

Timo heeft alles wat hij weet verteld aan brigadier De Graaf.

Die heeft op zijn beurt alles genoteerd.

'Nou jongen, fijn dat je ons zoveel weet te melden. Ik denk dat ik je nu maar eens thuis ga brengen. Lijkt je dat geen goed idee? Je ouders zullen niet weten wat ze horen.'

'Ik woon bij m'n opa en oma', antwoord Timo. 'Ik heb geen ouders meer.'

Even is het stil. Dan gaat de brigadier verder. 'Oh sorry, dat wist ik natuurlijk niet.'

'En Rob?' aarzelt Timo.

'Ik zal het direct aan je doorbellen zodra we iets weten.'

De Graaf stapt achter het stuur en rijdt weg.

Korte tijd later stopt de politiebus voor het hoekhuis aan de P.C. Hooftstraat.

Opa staat juist voor het kamerraam en schrikt als hij de politieauto voor zijn huis ziet stoppen. Hij is helemaal verbaasd als Timo eruit stapt. Haastig loopt hij naar de voordeur en voordat De Graaf kan aanbellen, gaat de deur al open. Opa wil wat zeggen, maar De Graaf is hem voor.

'Schrikt u niet. Met Timo is alles in orde. Ik breng uw ... eh ... kleinzoon even thuis. Ik denk wel te mogen stellen dat mede dankzij zijn hulp we een overval aan het oplossen zijn. Mag ik even binnenkomen.'

Opa doet een stap terug en laat Timo en de brigadier binnen. 'Loopt u maar door naar de kamer.'

Als ze allemaal binnen zijn stelt de brigadier zich voor.

'Gaat u zitten.'

'Het is een lang verhaal en ik denk dat Timo dit het beste kan vertellen. Alleen ik moet u eerst nog iets anders meedelen. Bij de overval waar Timo het zo dadelijk over zal hebben zijn enkele mensen van Lifeliner 2 door de overvallers gedwongen om met hen mee te gaan. Ik heb van Timo begrepen dat de piloot z'n broer is. Dus ik mag aannemen dat deze man ook eh ... uw kleinzoon is?'

Even is het stil in de kamer. Oma slaat een hand voor haar mond.

Dan zegt opa: 'Ze zijn dus gegijzeld?'

'Zo zou je het ook kunnen noemen', antwoordt de brigadier. We hopen natuurlijk dat het goed afloopt, maar ik moet u dit eerlijkheidshalve meedelen. Tot zover weet ik ook niet meer.'

Er gaat een mobiele telefoon.

Brigadier De Graaf pakt hem van zijn riem. Hij kijkt even op het display.

'Ja, met Ben ...' Aan de andere kant is iemand lang aan het woord. Uit de mond van de brigadier klinkt af en toe alleen maar 'ja' of 'oh.' Hij knikt erbij.

Gespannen kijkt Timo naar het gezicht van de brigadier. Het staat niet ernstig. Zou het over Rob gaan? Timo krijgt er een kleur van.

Het gesprek is afgelopen. De brigadier bergt zijn telefoon weer weg.

'Nou, ik heb goed nieuws. Met Rob is alles goed. Ze zijn geland in Hoek van Holland. Een van de overvallers is gearresteerd. De andere is nog voortvluchtig.'

'Mens nog aan toe!' zegt opa 'Wat een toestand toch allemaal.'

Tsjonge, dit was niet leuk meer, denkt Timo.

Eenmaal op de Nieuwe Waterweg trekt Jan van der Sar het gas flink open. De boot laat een bruisend spoor achter.

'Hij is richting Rotterdam gevaren als ik het goed begrijp?' vraagt Jan.

De politieman naast hem knikt.

'Nou, dan zouden we hem nu eigenlijk toch wel moeten zien. Ver weg kan hij niet zijn. Zo hard loopt dat hulpbootje van jullie toch ook weer niet. Of wel Dirk?'

'Er is een boot van ons onderweg hiernaartoe,' roept een van de politiemannen, 'als het goed is zit hij tussen ons in.'

Even later zien ze in de verte een bootje naderen dat zo te zien ook flink doorvaart. Het water spat aan weerszijden hoog op.

Een van de politiemensen wijst. 'Dat moet onze boot zijn.'

'Da's mooi,' brult Jan 'maar dat hulpbootje heb ik nog niet gezien.'

'Je zou haast zeggen dat hij ook zover nog niet kan zijn', roept Dirk. 'En ik weet toch zeker dat hij deze kant op is gevaren.'

'Hij moet zich ergens schuilhouden', veronderstelt Jan. 'Maar veel mogelijkheden zijn daar hier niet voor, zoals jullie wel zien.'

Niet lang daarna mindert Jan de snelheid en weldra ligt de politieboot langszij.

De politiemannen die met de KNRM-boot zijn meegevaren lopen naar buiten en spreken even met hun collega's op het andere schip.

Even later komt een van hen weer in de kajuit. 'Wij stappen over op de andere boot, dan kunt u weer terug naar de Berghaven. Stel voor dat er een oproep voor u komt, dan moet u op uw post zijn.'

'Ach, dat komt allemaal goed', lacht Jan.

'In ieder geval enorm bedankt voor uw hulp', gaat de politieman verder.

'Geen dank hoor. Jullie hebben hem nog niet. Ik zou zeggen succes ermee.'

De politiemannen steken allebei hun duim op en stappen over.

Jan geeft weer gas en in een ruime bocht draait hij weer terug richting de Berghaven. De politieboot blijft nog even stilliggen.

'Ik ken nie begrijpe waar die gast met ons bootje gebleve is', zegt Dirk tegen Jan.

'Wie weet heeft-ie er een duikboot van gemaakt', plaagt Jan.

Dirk kijkt hem nijdig aan.

Zwijgend varen ze verder.

Als ze vlak bij de Berghaven naast de catamaran van Stenaline varen, neemt Jan ineens gas terug. 'Wacht es ... Het zou kunnen dat die boef met jullie bootje van voren tussen de twee kielen onder deze catamaran is gevaren en nu ligt af te wachten.'

Dirk kijkt op zijn horloge. 'Tien voor vier. 'Nou, dan ken-ie niet lang meer wachte, over tien minuten vertrekt deze boot.'

'Hij is gewapend, is het niet Dirk?'

Dirk knikt.

'Mmm ... We kunnen natuurlijk wel om het hoekje kijken, maar als-ie zich daar echt verstopt heeft, heb ik weinig behoefte om beschoten te worden.'

'Probeer eens contact te maken met de politieboot. We blijven gewoon even hier liggen', zegt Jan. Dirk pakt de telefoon weer. Jan zet een speaker aan, zodat hij mee kan luisteren.

Er is contact. 'Zeg luister es,' begint Dirk, 'wij legge hier naast die boot van Stenaline en het zou best wel es zo kenne weze dat die gast hier onder die catamaran legt. Alleen hij heb een pistool bij zich dus we gaan niet kijke. Da's jullie werk.'

'We komen eraan!' klinkt het uit de speaker.

Voor de politieboot er is, komt er bij de Catamaran ineens een grote rookpluim uit de schoorsteen. De motoren worden gestart.

Nadat Johnny de Berghaven is uitgevaren, zag hij ineens recht voor hem de catamaran liggen, die hij vanuit de lucht had zien aanmeren.

Hij zag de grote ruimte onder de boot tussen de twee kielen en bedacht een plan. Hij is helemaal onder de boot gevaren, tot achter aan toe.

Vanuit zijn schuilplaats heeft hij de KNRM-boot zien wegvaren. Ook heeft hij de twee politiepetten in de kajuit gezien.

En zo ligt hij stil af te wachten. Ze zullen hem nergens vinden en op gegeven moment weer terugkeren. Hij zal dat mooi vanuit zijn schuilplaats kunnen zien en daarna oversteken naar de Rozenburg landtong. Als het lukt, heeft hij dat toch maar mooi gefikst. Zijn zelfvertrouwen keert weer wat terug.

Plotseling gaat er een trilling door de catamaran en begint het water achter hem te bewegen.

Wat is dat nu? Een dof, dreunend geluid dringt tot hem door.

Ineens beseft hij wat er gebeurt. Het schip start zijn motoren. Maar dat betekent dat het zal gaan wegvaren. Nu zal hij voor de dag moeten komen, of hij wil of niet. Het is veel te gevaarlijk om hier te blijven liggen.

Hij rukt weer aan het touwtje van het motortje. Het slaat onmiddellijk aan. Johnny geeft gas en vaart naar de voorkant. Als hij om de linkse kiel vaart, krijgt hij de schrik van zijn leven. Vlak naast de catamaran ligt de KNRM boot op z'n gemak te dobberen. Tot overmaat van ramp komt er nog een politieboot aanvaren ook. Er is maar één uitweg. Vol gas spuit hij langs de neus van de KNRM-boot richting de overkant.

Jan en Dirk zien hoe het hulpbootje ineens voor hun schip langs jaagt.

'Daar gaat ie!' roept Dirk.

130

'Dat kun je wel zeggen, ja', vervolgt Jan.

Op de politieboot zien ze ook het hulpbootje wegvaren. De politieman achter het roer duwt meteen de gashandel naar voren. Enkele anderen, die inmiddels een kogelvrij vest aan hebben, lopen met een wapen naar de reling waarachter ze zich verdekt opstellen.

De politieboot loopt snel op de boot van Johnny in. Door een luidspreker op het dak wordt hij gesommeerd te stoppen en langszij te komen. Johnny kijkt met grote angstogen achterom en dan weer naar voren. Hij is niet van plan om te doen wat hem wordt opgedragen.

Er komt een groot containerschip aangevaren. De politieboot komt steeds dichterbij. Johnny draait aan het gas maar het gaat niet verder. Als ik het nu vlak voor dat zeeschip heen kom, denkt hij haastig. Blijkbaar heeft men op de brug van de zeereus iets gezien. Plots galmt dof en lang een scheepshoorn over het water.

Op enkele meters afstand schiet Johnny voor de boeg langs. De politieboot moet snel rechtsomkeer maken om niet in aanvaring te komen. In een ruime boog vaart hij achter het containerschip langs. Johnny heeft door dit voorval weer een flinke voorsprong gekregen. Hij kijkt snel achterom en dan weer voor zich. De overkant komt steeds dichterbij. Zal hij het redden? De politieboot komt opnieuw dichterbij. Nog even, dan moet hij inhouden om niet tegen de kant te botsen.

Dan voelt hij dat de gashandel niet meer terugdraait. Hij heeft er te hard aan gedraaid. Hij zit muurvast. Snel doet hij nog een poging met twee handen. Ineens schiet de handel los. Maar de motor gaat op volle toeren door. De gaskabel is gebroken.

Johnny kijkt in paniek naar de wal, maar het is al te laat. Met een doffe dreun bonkt het bootje tegen de schuin oplopende basalten. Johnny vliegt voorover en komt op het voorste bankje terecht. Een felle pijnscheut schiet door hem heen. Een moment is hij zijn adem kwijt. Hij probeert weer overeind te krabbelen, maar dan staan er ineens twee politiemannen naast hem.

De politieboot is ook gearriveerd en is iets voorzichtiger aangemeerd. Er springen nog meer politiemensen op de wal. Voordat Johnny er erg in heeft, wordt hij geboeid.

'Zo Jochie, het is mooi geweest!' zegt de agent die hem overeind trekt.

Jan van der Sar en Dirk hebben met een verrekijker de achtervolging gezien.

'Nou Dirk, ze hebben 'm te pakken geloof ik. Dan kunnen wij wel weer naar de Berghaven.'

Dirk knikt en bromt wat in zichzelf.

Jan duwt de gashandel een stukje naar voren en vaart rustig terug naar hun aanlegsteiger.

Die avond is het druk in de P.C. Hooftstraat. Alles wordt nog eens in geuren en kleuren verteld, nu met Rob erbij. Ook Esther is thuis en Judith en Daan zijn gekomen. Ze zijn erg nieuwsgierig.

Brigadier De Graaf komt langs en vertelt dat de twee overvallers veilig achter slot en grendel zitten. Met Rachid is het gelukkig niet al te ernstig. De kogel heeft geen vitale delen geraakt. Maar hij zal nog wel enkele dagen in het ziekenhuis moeten blijven

Als alles zo'n beetje is verteld, vraagt Rob een beetje plagerig aan Timo: 'Weet je nog wel zeker dat je lifeliner-piloot wil worden?'

Timo kijkt Rob verontwaardigd aan en zegt dan: 'Natuurlijk, wat dacht je dan. Het is niet iedere dag boeven vangen. Jullie doen toch zeker ook nog wel iets anders?'